JN008161

no niin

ノニーン!

幸せ気分は
フィンランド流

スサンナ ペッテルソン
迫村 裕子

はじめに

違っているからこそ、見えてきたこと

　フィンランドと日本、共通点も相違点もあります。直ぐに共感できることもありますが、どう頑張っても何百マイルも遠く離れてしまっているように感じることもあります。しかし、お互いの経験や価値感、ライフスタイルをオープンに話し合うことによって、私たちはそれぞれの仕事や生活に新しい輝きが与えられました。そして、いくつかのプロジェクトを一緒に立ち上げ、展開していく機会にも恵まれています。

　私たちがどんな世界を見、聞き、感じ、学び、その中で何を考えてきたのかをこの本の中で紹介しています。降りかかってくる困難や

悩みの中で、それぞれが立ち止まり、答えが見つからない模索の時期を経験しながらも、何とか前を向いて歩いてきました。

一つ確かなことは、お互いの違いを受け入れると、自分の思い込みに風穴を空けることができます。悩みを他者と分かち合うと、心配する気持ちが楽になり、乗り越えた時の喜びは倍増します。笑いあえると、お互いの信頼がもっと強くなります。何よりも、私たちは、美の瞬間こそが生きる糧であることを知っています。

そのことを、この本を通じて読者のみなさんと共有できれば嬉しいです。

スサンナ ペッテルソン／迫村裕子

©Visit Finland / photo:Mariia Kauppi

著者紹介

INTRODUCTION

スサンナってどんな人？

スサンナ ペッテルソン（博士）

背が高くてスタイリッシュ。イッセイ ミヤケの服を着こなし、二人の娘を溺愛している母。美術評論家、キュレーター、ライターのご主人と、ヘルシンキ郊外の海に近い森の中で、祖母から譲り受けた家に暮らす。ペットは犬のジティ。美術史家、美術館館長。大学でも教えている。2018年の夏以来、平日はスウェーデンのストックホルム、週末は家族のいるフィンランドのヘルシンキへと、飛行機で通いの生活。趣味はランニング。ハーフマラソンにも参加し始め、次のレースのことを考えると頭がいっぱいになる。息抜きの一つは台所で創作料理に挑戦すること。読書も好きだが、家の中に本が溜まり過ぎて、パンク状態。なるべく買わないことにしているが、これがなかなか難しい。フリーマーケットや骨董品屋をのぞくのも大好き。2014年以来、年に数度日本に滞在し、陶器などのショッピングが楽しみ。メディテーション（瞑想）にも挑戦中。美術関連の著書多数。

ヒロコってどんな人？

迫村 裕子

一女三男の母、孫四人。にっこり笑顔とショートカットがトレードマーク。犬より猫派。

文化プロデューサー、会社代表、ときどき幼稚園で英語の教師。絵本、翻訳書の著作あり。高校時代と子連れで二度のアメリカ留学。90年代中頃からフィンランドとのプロジェクトがスタート。最近はスウェーデンにも足を伸ばしている。プロジェクトは展覧会、セミナー、イベント企画など多岐にわたる。「北欧にどうしてそんなに入れ込んでいるの？」、「何がそんなに魅力で毎年行くの？」。全ての答えは、この本に集約されている。変わったこと面白いことに惹かれ、人のやらないことをやってみようと思うタイプ。好きなことは、ぶらぶら歩き、掘り出し物を見つけること、雲の流れと夕焼けを眺めること。近いうちに再開したいことは、書道とお茶のお稽古と歌の練習。庭の手入れにも精を出したい。モットーは「みんなちがってみんないい」。

photo : Akiko Osaki

目次

CONTENTS

©Visit Finland / photo：Antti Harkio

CHAPTER

1

私たちを繋ぐもの

TOPIC 01

美術館が仕事の場

美術館が私の仕事の場です。美術史家としての教育を受け、若い頃からずっと美術館にかかわる仕事に従事してきました。具体的には、展覧会の企画、出版、講演、教育普及プログラムなどです。美術館史と作品コレクションが私の専門分野で、世界中の美術館と連携しながら仕事のネットワークを広げています。館長としての私の役目は、予算から企画、関連プログラムの立案、スタッフの福祉や将来の計画など、美術館にかかわる全ての戦略を立て、問題点を見極め、物事が上手く実現するように手を尽くしていくことです。

私の今までのキャリアをお話しすると、大学を卒業後、ヘルシンキの美術館で展覧会やコレクションのガイドを務める仕事に就きました。まだインターネットが無かった時代で、地元の新聞に美術評論も書いていました。先輩学芸員の助手を務めた後に学芸員に昇格し、続いて主任学芸員、そして館長になりました。今はストックホルムにあるスウェーデン国立美術館の館長です。それ以前には、フィンランド国立アテネウム美術館館長、フィンランドセンター・ロンドン所長、アルヴァ・アアルト財団理事長などを務めました。

スウェーデン国立美術館は、1792年に設立されたヨーロッパの最初の美術館の一つです。19世紀から一般に公開されており、アートとデザインの卓越した作品コレクションがあり、西ヨーロッパの中でも重要な位置を占めている美術館です。

私は文化プロデューサーとして、各種の文化催事、イベントやセミナーなどを企画運営してきましたが、最近は、国際的な美術展を開催することを主な柱として動いています。しかし、スサンナと違って、私は美術史を専攻したことも学芸員としての経験もなく、「人やプロジェクトを結びつける」ことから美術展にかかわるようにな

りました。最初に手がけた展覧会は、ニューヨークで日本の若手建築家を紹介することでした。

美術展は、展覧会テーマの設定から始まり、展示作品の選定、借用交渉、開催・巡回会場の確保、作品の運搬、保険、告知・広報、展示設営、作品の管理、教育プログラムや関連イベントの展開、予算管理そして撤収、返却に至るまで、美術館で働いている人たちだけでなく、多分野にわたる専門が大勢かかわる大事業です。加えて、図録制作やグッズ制作・販売もあります。私の仕事は、この一連の仕事がスムーズに動いていくようにサポートすることです。展覧会によって、全ての局面にオーガナイザーとして携わることもあれば、パートナーシップを組んで動く場合もあります。

スウェーデン国立美術館、ストックホルム

TOPIC 02

ワクワクする展覧会作り

今までに、いくつもの展覧会やコレクションの展示をしてきました。研究調査をもとに論文や本を書くのも面白いですが、展覧会を作り上げることはとてもワクワクすることです。学生の頃、懐の深い素晴らしいメンターに恵まれ、調査現場に同行し、アーティストに会って、展覧会を立ち上げ、最終的に作品を展示するという一連の流れを教えてもらいました。厳しい審美眼と妥協を許さない仕事ぶりで、全てが完璧であることを要求する人でしたし、今では到底考えられないことですが、80年代、90年代のはじめに美術館でタバコを吸うことを許された、私が知る限り唯一の人でもありました。

そんなユニークで独創的な人のもとで修業をしたのはラッキーでしたね。きっと、カリスマ性があった方なんでしょう。アーティストとの最初の出会いから、火花が散るような丁々発止のやり取

ギャラリーで鑑賞中のスサンナ

りを経て、最後に展覧会としてオープンするまで見届けることができて、相当勉強になったことでしょう。

とても懐の深い人でもありましたから、アシスタントである私も平等に扱ってくれ、分からないことは懇切丁寧に教えてもらいました。

私は美術史のバックグラウンドもキュレーションの経験もなく、コーディネーターとして、いきなりこの世界に飛び込んだので、何もかも実に新鮮でした。何よりも、展覧会が無事にオープンするにはどれだけ多くの人の力がいるのかを学びました。それから少しずつ、美術館やアーティストとのネットワークが広がり、自分が興味のある分野やテーマの展覧会に深くかかわっていけるようになりました。基本としているのは、「直のコンタクト、心揺さぶられる企画、信頼できるチーム」です。要するに、人との直接の出会いの中でプロジェクトを立ち上げ、同じような情熱を持つ人たちとチームを組んで何があっても諦めずに実現させることです。キーワードは、最初から実現まで「ワクワクできるかどうか」、「ワクワク感を何があっても最後まで持ち続けることができるかどうか」です。

最初のフィンランドでの大きな美術展は何だったのですか？

2000年にヘルシンキの郊外、メイラハティにあったヘルシンキ市立美術館の分館で開催された「雪舟と雲谷派　Zen Master Sesshu and His Followers – Japanese Art From 15th to 19th Century」です。山口県立美術館の多大な協力によって実現することができました。2003年には今度はヘルシンキ市立美術館のコレクションからなる「神話が息づく自然の国　フィンランドの美術」展が日本で巡回され、これをきっかけにそれ以後フィンランドとの美術展が一気に増えていきました。

TOPIC 03

展覧会は、専門家チームの協働作業

国際的な展覧会は、各分野の第一人者である専門家グループとの協働作業による国際的な巡回展として企画されることが多いです。すなわち、自分の属している美術館だけでなく、他国の美術館への巡回が前提になります。その良い例が「ジャパノマニア 北欧におけるジャポニスム Japanomania in the Nordic Countries, 1875-1918」展です。北欧各国の専門家チームが編成され、幅広いリサーチのもと、最初はフィンランドのヘルシンキで、続いてノルウェーのオスロ、そして最後にはデンマークのコペンハーゲンへ巡回しました。その研究成果は、東京の国立西洋美術館で行われたセミナーでも発表されました。このような協働作業で展覧会が準備されれば、お互いのスキルや専門性が共有され、より魅力的な展覧会が実現できます。お互いにより良く学べることに改めて気づく良い機会にもなりました。

この企画展は、研究、調査、企画の全てのプロセスにじっくりと時間をかけて実現され、実に野心的な試みだったと思います。19世紀後半にフランスで流行したジャポニスムが、当時パリに留学していた北欧諸国のアーティストたちの目を通して、帰国後それぞれの国でいかに花開いていったかを紹介するもので、個人的にもとても興味深いテーマでした。

それから3年後に、第2弾として今度は20世紀の北欧と東アジアの交流に焦点を当てた展覧会「静寂の美 Silent Beauty」展も開催され、ヘルシンキとストックホルムへ巡回しました。

その展覧会には、日本民藝館や神奈川県近代美術館のコレクションも出展されましたね。同じ時代に創作された北欧と東アジアの作品が、絵画と工芸のジャンルも区別されることなく並列に展示されましたが、全く違和感もなく展示空間全体として見事に調和していました。そのことがとても印象的でした。

北欧と日本の芸術家たち、文化や思想の交流や繋がりは、掘り下げていくと、まだまだ多くの発見が残されていると思います。研究者や学芸員の国際的な協働成果がこれからも展覧会の形で実現されていくのが楽しみです。

photo : Akiko Osaki

「ジャパノマニア展」の図録
ヘルシンキ、オスロ、コペンハーゲンで開催(2016-17年)

TOPIC 04

スサンナとヒロコの出会い

私たちが最初に会ったのは、まだスサンナがアルヴァ・アアルト財団の理事長だった頃、ヘルシンキ現代美術館（KIASMA）で「美術館と未来」と題するセミナーがあった時でした。オーガナイザーの一人がスサンナで、私は、日本からの講師招聘のコーディネートをしました。

2011年の11月のことでしたね。私は「美術館コレクションの歴史とその展開」と題した基調講演をしたのを覚えています。

その講演で「これからは従来の美術館の枠を超えて、いろんな場所でアートが楽しめるようになる」とスサンナが引用したことがとても印象的でした。そしてその翌年アルヴァ・アアルトのスタジオに私が訪ねて行き、それが、二人でゆっくり話をした最初でしたね。その晩にヘルシンキの老舗レストランに行って、スサンナお薦めのトナカイのステーキを食べました。私はトナカイの肉を食べたことがなかったので、最初はちょっと躊躇しましたが、臭みもなく柔らかくてとても美味しく、愉快な夕べだったことを覚えています。アアルト夫妻の建築のことやお互いに将来実現させたい美術展の企画のことなど話していくうちに、向かっている方向性や捉え方の視線、仕事の進め方などが共通していると強く感じました。あの場で、意気投合してしまったのですよね。

私はそれからロンドンのフィンランドセンターの所長になってフィンランドを離れてしまい、私たちが次に会ったのはその3年後。私がフィンランド国立アテネウム美術館の館長に就任して、フィンランドを代表する画家ヘレン・シャルフベックの日本での巡回展の時でした。

ストックホルムの春

それからは、日本や北欧で開催された展覧会の企画だけでなく、新しい美術鑑賞メソッドのプロジェクトなどもあり、一緒にセミナーに出席したり、こうして本を一緒に書いたり。

途切れることなく一緒のプロジェクトが続き、もう10年以上のお付き合いです。最初に出会った時には思いもよらない深いご縁となりましたね。

TOPIC 05

スサンナとヒロコの共通点

私たちに共通するのは、シンプルなことやものの美しさに魅了されることです。公園を散歩中に梅の古木を見て、「この木は今までにどれだけの風雪に耐えてきたんだろう」と想像したり、川で泳ぐアヒルを橋の上から二人でのんびりと眺めていたり、池の淵で手を叩くと鯉が口を開けてワーッと寄ってきて驚いたり。通りすがりの神社でヒロコがお参りしたいと言えば、その間に私は空を見上げたり、境内の花を愛でたりして。何気ない日常の楽しみ、自分たちがどんなに美しい世界に住んでいるかに気づくそんな瞬間を一緒に楽しめるのが良いですね。

photo: Akiko Osaki

スサンナとヒロコが一緒に買ったお皿、東京・神楽坂

ちょっとしたハプニングにも巻き込まれたことがありました。セミナーの休憩時間にエレベーターに閉じ込められてしまったり、車を運転して大事な打ち合わせに行く途中で、私が道に迷って急な坂を下っていきなり海岸に出てしまったり。また、とあるプロジェクトに悪運が立ち込め、先行きが怪しくなったディナーの席で、ふと空を見上げると煌々と輝く満月、そのお陰もあってプロジェクトが生き延びたこともありました。ひどい雨に濡れながらも、ストックホルムを散策したことも楽しい思い出です。いつか、大阪でイベントがあった帰りの新幹線で、おかしな話をし始めて、二人で笑いが止まらなくなったこともありましたね。

仲の良い友だちと一緒に笑うことは実に素敵です。笑いすぎて、目から涙が溢れ、鼻もジュルユル、身体中が笑いに包まれ自分がコントロールできないくらいになってしまう。それほど自分をさらけ出してしまえるには、相手を完全に信頼していること、相手もあなたのことを愛おしく思っていて、絶対に裏切らないことを知っている、エンパワメントが溢れる気持ちがないとできません。

TOPIC 06

スサンナとヒロコの連携プレー

私は美術史家で美術館の館長、ヒロコは文化プロデューサーで人や組織を繋ぎ実現まで漕ぎ着けていく立場。一人はストックホルム、一人は東京を起点にし、アート・プロジェクトを通じて、日本、フィンランド、スウェーデン、北欧の人々に喜びをもたらしたいと二人とも心から願っている訳です。だから、アイデアから実現に至るまでのプロセスを共有でき、ハラハラワクワクしながらもお互いに励ましあって頑張れるのでしょう。

3年前にスサンナがスウェーデン国立美術館の館長に就任した時、「さあ、ヒロコ、今度は一緒にスウェーデンよ」と言ったのを覚えていますが、嬉しいことに、その言葉通りになってきて、この6、7年先のプロジェクトまで準備中ですね。

　年齢的には私の方がずっと上なのですが、年齢差を今まで全く感じたことがないほど、「面白い！」と思うことが同じなのです。「鼻が利く」ところが一緒なのですね。それが何よりも安心なことです。仕事の面だけでなく、「美味しい」と思う食べ物やレストラン、会った人で「すごい」と思う人、「カッコ良い」と思う洋服などなど、かなり一致しています。この間は、お揃いでイッセイ ミヤケのパンツも買いましたね。しかし、大きな違いは、スサンナは、組織の中で動いていること。美術館業界の中で、国を超えて次々と大きなポジションに挑戦していることです。心から感服してしまいます。片や私は、自分の会社を運営しているので、組織上の縛りが少ないことは確かで意思決定においてより柔軟な部分がありますが、経営者として直面せざるを得ない厳しい側面もあります。もう一つの大きな違いは、スサンナは、歴史的な学術バックグラウンドを土台に話を構築していくことができますが、私はより直感的、情緒的です。

日本で買った陶器やヒロコからプレゼントされた陶器など、スサンナの自宅

TOPIC 07

諦めずに火を燃やし続ける力

2017年に、当時の同僚だったアヌ・ウトリアイネンと「モダン・ウーマン」展を共同キュレーションしました。フィンランドを代表する女性四人の画家、ヘレン・シャルフベック、エレン・テスレフ、エルガ・セーセマン、シグリッド・シャウマンを取り上げた展覧会です。会場はニューヨークにあるスカンジナビア・ハウスでした。19世紀のフィンランドで、画家という困難な職業に女性が従事することがなぜできたのか、どうやって道を拓き自立したアーティストになれたのか、当時の芸術学校でアートがどう教えられたのか、どんな人たちがそこで学ぶことができたのか、研修旅行のための助成金を誰が得たのか、誰の作品がどこのコレクションに買い取られたのかなどを調査して、展覧会に組み立てていきました。シャルフベックは、画家としての創作活動だけでなく、教師としてアートを教え、シャウマンは評論家として活躍し、それによっても自分たちの声と力を社会に届けていきました。結果として、展覧会は大成功を収め、ニューヨークでの開催の後、内容を少しずつ変えながらも北欧の国々や日本を巡回していきました。この成功によって、展覧会が持つ多様なレベル、すなわち展覧会は、作品自体に対する評価だけでなく、社会の変化、女性の権利などについても学ぶよい機会となることが証明された良い例になりました。

日本では一般に知られていないアーティストの展覧会を開催するのはなかなか難しいことです。2015年にヘレン・シャルフベックの回顧展が日本で初めて開催されましたが、企画がスタートしてから7年もの長い年月がかかりました。チームの一員としてかかわりましたが、自分の信じる企画を決して諦めずに情熱の火を燃やし続け、努力を惜しまないことの大切さを身をもって体験しました。それは、その後の私の仕事に大きな自信と力になりました。同時に、

アパートからの眺め、
ストックホルム

ものの実現には時の味方が必要なこと、その時が来るまで諦めずに待ち続ける忍耐力の重要さも知りました。

北欧諸国での女性彫刻家の調査研究にも参加したことがありますが、やはり実現までに6年もかかりました。2022年に私が館長を務めるストックホルムのスウェーデン国立美術館でやっと開催でき、男性優位の分野だった時代にフィンランドの女性彫刻家がいかに奮闘したかについて私も論文を書きました。とてもエキサイティングなプロジェクトでした。

今まで十分な評価を受けていないアーティスト、特に女性アーティストの展覧会に興味があります。例えば、スウェーデンを代表する作家カール・ラーションは日本でも「わたしの家」の画集で知られていますが、妻のカーリンの素晴らしいテキスタイルデザインやインテリアデザインのことは今まで十分に紹介されていませんでした。また、アイノ・アアルトも、55歳で亡くなるまでのアルヴァ・アアルトとの25年間の協働作業のことは一般的に知られていません。カーリンやアイノのように、夫の業績の陰に埋もれていたアーティストや、優れた仕事を残しているのにまだ名の知られていないアーティストに光を当てた展覧会を実現したいと願っています。

TOPIC 08

私たちの仕事の達成感

研究調査が土台になり、それがコレクションの新しい展示や美術展の企画に繋がっていくことは多々あります。私は、フィンランド国立アテネウム美術館の初期のコレクションの歴史について論文を書き、2008年に博士号を取りました。その時の研究が、アテネウムの館長に就任した時に大いに役に立ち、新しいコレクションの展示「フィンランドアート・ストーリー Stories of Finnish Art」に展開していきました。このことを私自身とても誇りに思っています。そして、その展示室に初めて入場者を迎えた時の人々の興奮した顔を思い浮かべると、今でもジーンとなります。来場者、鑑賞者の魂に触れる瞬間を創出することこそ、私たちの仕事の大切な部分です。そして、それこそが、私たちの仕事の達成感です。

展覧会の成功を、ややもすると入場者数ではかってしまいがちですが、真の成功は、入場した人の数でなく、どれだけの人の心に触れたかだと私も思います。大袈裟に言えば、その瞬間を創り出すことに私たちは仕事の命をかけています。

海外で開催された展覧会を日本に持ってくる場合、同じ内容の展覧会であっても、日本の来館者向けに組み立て直すことが必要です。「すごい作品が海外からやって来たから見てください」だけでなく、日本の鑑賞者に一番良い形で作品と向き合ってもらえるにはどうするかという視点です。そのためには、元々の企画側と日本の監修者や学芸員との間でクリエイティブなキャッチボールが必要となります。私の仕事は、その間に入って潤滑油になることです。どちらかが一方的に押し切るのでなく、双方の意思の疎通が十分に行われるように努めることです。以前に比べて最近は、実際に会って話すことを大前提にしながらも、オンラインでのフォローが簡単にできるデジタル環境が急速に進み、それが双方の理解に大きく貢献していると思

photo:Akiko Osaki

「フィンランド アート・ストーリー Stories of Finnish Art」の書籍

います。

とにかく、大人も子供も、もっと気軽に美術館に行ってほしいですね。極端なことを言えば、美術作品を鑑賞するのに教養も知識も必要ないと思うのです。ただ見るだけ。展覧会に行っても全ての作品を見る必要もなし、自分の心に引っかかった作品があればその前で立ち止まり、心ゆくまで見る。それで良いと思います。私はときどき、この中であげると言われたらどの作品にしようかなどと不遜なことを思いながら、見ることもあります。

また、自分の気持ちや感情を中心に作品を鑑賞すると、今まで気づかなかった新しい発見もあります。ポジティブな感情だけでなく、「なぜこの作品を見ると自分は不愉快になるんだろう」と、作品を見ながら自分に問いかけるのも面白いですね。作品によっては、細部を入念に観察するだけで満足する時もあります。

仕事の帰りにジムに立ち寄るように、肩が凝ったらマッサージに行くように、気軽に美術館に行って、美術に触れる機会をたくさん持つことができれば、それはとても豊かなことだと思います。

TOPIC 09

予期せぬことに備えて

展覧会をどのようにキュレーションするかは、とても大切なことです。「インスピレーション 〜 象徴的な作品 Inspiration- Iconic Works」展（2020年）のキュレーションをした時は、全く予想もつかないものをあえて結びつけて見せる手法を取りました。現代アーティストの目を通して新しい西洋美術のものがたりを再構築しようとしてみました。西洋美術史の中で象徴的な作品と言えば、古代ギリシャの大理石彫像「ラオコーン像」、ダヴィンチの「モナリザ」やロダンの有名な「考える人」などがありますが、どうしてこれらの作品は人を惹きつけて止まないのでしょう。それが、私の長年の問いかけでした。イギリスのキュレーターであり作家でもあるジェームス・プットナムと時間をかけて準備し、現代アーティストたちが、西洋美術史上の偉大な作品にどのような新しい解釈をして、新しい息吹を吹き込むのかに興味がありました。まず私が展覧会のために壮大な美術館史的な枠組みを中心に据えた原稿を書き、その上で、現代アーティストたちとのダイアローグを展開しました。スイスのアーティスト、サラ・マスガーは、自分の身体をモデルにして、新しい「ラオコーン像」を創ってくれました。

パンデミックが始まる少し前だったことも幸いし、ストックホルムで展覧会を無事にオープンすることができ、その後、ヘルシンキへ巡回しました。あの大混乱の時期によくぞオープンできたと思います。

展覧会には、予想もしなかったことが少なからず起きますね。私たちが展覧会、特に国際的な企画展のときに神経を使うことの一つは、作品の借用です。大切なお宝を借用して展覧会を開くわけですから、作品を積んだ飛行機が無事に到着するか、巡回各会場間の作品運搬は安全か、会期中に大きな地震が起きないかなどなど、作品が借用先の所を離れてから無事に返却されるまで、作品

の維持保管には最大限の神経を使います。保険をかけるのは当然のことですし、作品の移動には、専門の業者に任せ、美術作品専用の車を使い、クーリエと呼ばれる専門家が作品に寄り添います。そして、作品が移動する度に、コンサヴァターと呼ばれるプロが入念なチェックを行い、コンディション・レポートを作成します。

このようにいろんなチャレンジを得て実現される展覧会ですから、自分たちが主体的にかかわった展覧会のオープニング前には、会場に展示された作品を一つ一つ回りながら心の中で話しかけます。「遠くからはるばるよく来てくださいました。きっと多くの人が喜ばれることでしょう。よろしくお願いしますね」と、まるで儀式のように毎回しています。

そして、この仕事の悲しいことは、どんなに熱意と予算をかけて開催したとしても、展覧会は短期間です。長くてもせいぜい2、3ヶ月から半年です。何年もかけて準備しても、あっという間に終わってしまいます。だから、最終日はいつも寂しいです。でも、その分、印象的だった展示会場の様子が心の中に長く残ります。そして、図録を見ながら、もう一度自分の中で再現してみたりします。

TOPIC 10

好きな美術作品はと聞かれて

あなたの好きな美術作品は何ですか。それはなぜ？ と、よく聞かれます。他の人のアートの好みや考えを聞く気持ちは分かりますが、いつも答えるのに困ってしまいます。好きな作品はいっぱいあるので、一つを選ぶのは難しいし、好みが一年の中で変わることもあるからです。あえて言えば、イタリアの巨匠、ジョヴァンニ・ベリーニ(1430-1516)は昔から好きです。彼の肖像画を描く手法が気に入っています。それから、ロンドンのナショナル・ギャラリーにあるハンス・ホルバイン(1497/8-1543)「リスとムクドリと婦人の肖像」は、ロンドンに行くたびに見に行きます。優れた作家は、人の姿だけでなく、魂を掴み取ると思います。

私は高校生の時にアメリカのバージニア州に留学していたので、ワシントンDCの国立美術館によく行きました。そこで惹きつけられたのが、サルバドール・ダリの「最後の晩餐」でした。大きな絵画ですから、その当時は専用の部屋があって、行く度にその部屋に通いましたが、何回見ても不思議な気持ちになりました。

もう一つ、アメリカの南西部に強く惹かれていた時期があって、ジョージア・オキーフの絵も好きでした。彼女のライフスタイルにも憧れていました。

絵画でも彫刻でもグラフィックアートでもジャンルは問わないのですが、作品の前に佇んで、自分が鑑賞しているのか瞑想しているのか分からなくなる瞬間に出会うことがあります。そういう瞬間はまさに至福の時です。その意味では、仏像を鑑賞するのも好きです。

20世紀中頃の北欧モダニズムにも惹かれています。絵画手法に革命をもたらした抽象フォームには強く心惹かれます。現代アートにも興味がありますから、毎週のように展覧会を見に行ってい

ダンテ像の前で、ローマ

ます。アーティストの友人もいるので、コンテンポラリー作品もかなり集めています。家に飾っている作品は、朝起きて見、夜帰るとまた目にするものですが、見飽きることはありません。最近のコレクションは、オーラ・コーレマイネンの素晴らしい写真作品「MVSEVM I (Nefertiti), 2020」。ベルリンの新博物館にある有名なネフェルティティの胸像を撮影したものです。我が家の食卓の壁に飾っていますが、見る度に世界遺産の重要性も思い起こされます。

スサンナとヒロコがこれまでに携わった展覧会の図録や書籍（一部）

photo: Akiko Osaki

©Visit Finland / photo: Omar El Mrabt

CHAPTER

2

ワークライフバランスのヒント

TOPIC 01

仕事は何と言ってもチームプレー

学生の頃、集団で動くのが苦手でした。勉強も一人でしていました。独自の自分のペースがあり、私は何事も早くできたので、そうでない人を見るとイライラしていました。スポーツも、野球やバスケットボール、バレーボールなど、チームで戦う競技も好きではありませんでした。自分にその才能が無かったこともありますが、何よりも、自分でコントロールできなかったからです。だから、格闘技に熱中しました。技を磨けば、自分の身体と精神のボスになれるとも思ったのです。

私も得意だったのは、どちらかと言うと、チームスポーツではなく個人プレーでした。足が早かったので、中学生の頃は100メートル走、ハードル、リレーと地域の陸上大会にも出場していました。

しかし、その後、何であろうとチームで動くことが基本であると理解するに至りました。他の人を頼りにすることの大切さに気づいたのです。自分より賢い人と仕事をすれば、より良い成果が上げられますし、自分の能力を知り限界も分かってくるようになると、自分より能力が上の人を信頼して任せる方が余程上手くいくことが分かったのです。

チームのそれぞれのメンバーに居場所があり、各自が頑張った成果を共有していくことができれば、それこそ理想的ですよね。実際にはなかなか難しいことですが、それを目指す気持ちを常に忘れてはならないと思っています。

メンバーの一人一人が最善を尽くすことがチームワークの極意

です。自分は何も貢献しないで成果だけを自分の手柄にしてしまう人や、知識をひけらかして一人舞台でしゃべり続ける人がいますが、それは許されないのです。そうすると、チームで動くこと自体が暗礁に乗り上げてしまいます。

白樺とデンマークの彫刻家、イェッペ・ハインの作品、ヘルシンキ

TOPIC 02

あなたが喜んでくれると、私も嬉しい

今の私は、チームのリーダーとして、みんなが気さくに話しに来てくれることを、何よりも一番に考えています。館長職に就いた時、私の部屋は窓から王宮と国立美術館が見える広い角部屋でした。申し分のない館長の特権でしたが、オフィスとしては使い勝手が決して良いものではなく、スタッフの誰かが会いに来たいと思ってもすぐに来られないという不便さもあり、だんだん私は同僚から孤立していくように感じ始めました。もっと気軽に話しに来て欲しいと、館長室のドアをいつも開けておいたりもしましたが、あんまり効果はありませんでした。そこで、最終的には、別の場所に移ることにしました。

今は、同僚と一緒の部屋の真ん中に私の席があります。みんなと廊下ですれ違いざまにちょっとしたおしゃべりができるようになって、スタッフも私のことを何を言っても安心な上司だと分かってくれるようになりました。まさにこのような仕事環境を私は望んでいたのです。職場がどう動いているのか、スタッフがどう感じているのか、何が上手く機能していて、何が問題なのかなど、その場で日々感じられることは、リーダーにとってとても重要なことだと思います。

長い間、私もリーダーとして、従来型のヒエラルキー、三角形の頂点にいる自分をイメージして、みんなを引っ張っていかなきゃならないと思い込んでいました。しかし、それではチームのみんなが幸せに働く環境を作れなかったし、それぞれの能力を生かせる場にならなかったのです。可能であれば昔に戻って当時のスタッフに自分の至らなさを懺悔したいほどです。気づくまでには随分と時間がかかりましたが、今のようなオープンでフラットな形に変えていけ

オフィスからの眺め、
ストックホルム

たのは、やはりフィンランドやスウェーデンで仕事をする中から学んだことが大きいですね。

一番重要なことは、誰かのために動くという姿勢です。館長として、いつもそのことを自分に言い聞かせています。私の仕事は、組織のために貢献している人たちをサポートすることだと。子育ての時に自分に課していたことと同じです。現場に自分の身を置く。しっかりと耳を傾ける。インスパイアして、励まして、心から感謝する。必要であれば一線を画す、ちゃんとした根拠を持って議論し、そして、具体的な解決策の例を示すこと。

若い頃には、自分の野心やプロとしての達成感など、自分のことばかり考えていました。そうではない、その意識こそ変えなきゃならないと気づいたのは、私の場合は、子供が生まれたことがきっかけだったように思います。

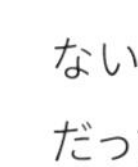

「あなたが喜んでくれると私も嬉しい」、それは私たちの今までの経験からしても、実に確かなことですね。

TOPIC 03

日々何か新しいことを見つける

私は仕事を抱えすぎる傾向にありますが、アートに関連する仕事の素晴らしいところは、仕事が楽しみになり、楽しみが仕事になることです。他の職業と比べて仕事と楽しみとの境界線がかなり曖昧です。それがこの仕事の素晴らしいところですね。

働くことが面白いと思えるのは、本当にハッピーなことだと思います。私が携わっているプロジェクトは、小さな集まりから国際的な大規模な展覧会まで大小にかかわらず一つ一つがまさにドラマ。実現していく過程で、もうそれはいろんなことが次から次へと起こります。途中で投げ出したくなることや、ああ、もうダメかなと思

スサンナのデスクの上はいつも本でいっぱい

う瞬間が必ずあります。でも、途中で投げ出さないで続けていこうと思えるのは、結局のところ、苦労よりもワクワクする楽しいことの方が勝るからです。終わったら、また次のプロジェクトへ向かっていくのですから。

私は、日々何か新しいことを発見したいと思うタイプです。今は、スウェーデンの歴史を深めたいと勉強しています。そして、基本的に書くことが好きなので、時間があると原稿や本のアイデアを頭の中で巡らせています。私の大好きなテーマである美術館史についての出版も途切れることなく計画していますし、密かに1930年代にアーティストだった私の祖母の評伝もいつか書きたいとも思っています。祖母の時代には、職業婦人の道を選ぶのはとても勇気のいることでした。それを成し遂げた祖母の道のりをたどることは現代の私たちにも学ぶことがたくさんあるはずと思うからです。

私は絵本の翻訳から始め、自分で絵本も書いています。未来を担う子供たちとかかわっていたいと、近所の幼稚園にも時々通っています。自分の経験や姿勢が少しでも子供たちの心を広げることに繋がればと思うからです。子供たちからつぶやきのような形であっても何か尋ねられた時はきちんと向き合って一緒に考えようとしています。そして、世界には、不思議なこと面白いことがいっぱいあるってことも知ってほしい。それが、困難に直面した時の力になると思うからです。また、子供たちと一緒に笑っている時の一体感が好きです。それは、子供の頃の自分を取り戻し、今の瞬間を一緒に生きていると感じるからです。だから、教えていると言いながら、本当は子供たちからたくさんのエネルギーをもらっているのかもしれませんね。

TOPIC 04

海外で働くキーは好奇心と柔軟性

新しいことにチャレンジする勇気を持ちましょうと私はよく口にします。自分がそうしてきて良かったと思っているからです。夫にロンドンでの仕事のオファーが来た時、子供たちがまだ1歳と3歳でした。家族で移り住むかどうかを考え、二人で話し合って行くことを決めました。そのことは、今でも良い決断だったと思っています。それから何年か経って娘たちがティーンエージャーになった頃に、今度は私にロンドンでの仕事のオファーが来て、再び家族でロンドンに住むことになりました。

うちの子供たちが小さかった頃、家族でカリフォルニア州のサンディエゴに3年間住んでいました。私はそれまで子育てに専念していましたが、奮起して大学院の修士過程に入り、その2年目には日本語の専任講師として大学でも教えました。子育てと勉学と教鞭をこなすのは、今考えると、無謀な決断でしたが、若さと外の世界へ飛び出したい好奇心の方が勝り、何とか乗り切ることができました。

外国で働くことには、好奇心と柔軟性が要求されます。それは醍醐味でもあると同時にチャレンジでもあります。自分の国から遠い近いにかかわらず、それぞれの国の社会や風習は異なっていますから、自分の国とは全く違うシステムに日々対処していかなければなりません。自分の母国語とは違った環境の中で仕事をしてアートや文化や風習を学んでいくのは、なかなか努力が要ります。しかし、外の国で働くことは自分の視野を広げることになりますし、いろんなことを学ぶことができる良い機会であることは確かです。

イサム・ノグチの「AKARI」、ホワイトチャペル・ギャラリー(ロンドン)

アメリカでの激動の3年間は、私にとっても我が家の子供たちにとっても大きな学びの機会でした。楽しかったことは山のようにありますが、同じくらいいっぱい失敗もありました。特に最後の1年は子供たちと私だけでしたから、友人、知人、ご近所のサポートがなければ到底無理だったと思います。しかし、あの3年間があったから私は自分の生きる方向性を見出すことができたし、その後のキャリアを発展させていく力を得たと思っています。

TOPIC 05

異なることの豊かさ

今の私の職場は、社会的、文化的、経済的な背景が異なる人たちからなるコミュニティです。そのような環境で仕事ができることは、豊かで恵まれていると思っています。バックグラウンドに違いがあっても、メンバーそれぞれが自分の持つ技術と専門知識を使って美術館の円滑な運営に貢献しているからです。

しかし、日々のコミュニケーションに関しては、それぞれに違った期待感があるかもしれません。例えば、フィンランドの文化背景を持つ私からすれば、物事をありのまま、お世辞などなして話すことを良しと思っていますが、率直であることが不作法で礼儀知らずだと捉えられる文化もあるからです。

スサンナと私の文化的背景は大いに異なっていますが、私たちはそのどちらが良いとも言わないし、また、二つの文化を融合させた新しい見方をしようともしませんよね。いろんな文化に接していることによって、場合や状況に応じて取捨選択しながら自分の対応や態度を自由に変えて決めることができること、そのこと自体を豊かだと受け入れているからだと思います。

個人的には、片方の脚は自分の育った文化の中にしっかり根ざしているけど、もう一つの脚は自由に動いていて、その両方の脚が上手くバランスを取りながら生きているって感じがしています。

また、たとえ同じ文化に属していても、人はそれぞれに個性があり違っていますから、自分とは異質な人、理解しにくい人、話が上手く通じない人とどう向き合うのか、これはなかなか忍耐と工夫が要りますね。人との摩擦を体験することによって人は磨かれる、知らなかったことにも気づくきっかけになるとも言われますが、苦行であることは確かです。しかし、その一人一人違う相手をそのまま受け入れることこそが多様性なんですよね。

出勤途中の風景、ストックホルム

TOPIC 06

その時その時一つのことに集中する

私は美術館の館長職の他に、数々の組織や諸団体の理事も務めています。大学の評議員もその一つで、もう9年目になります。20年も前に美術史学生協会の会長を務めたことも懐かしい思い出です。その他にも、日本にあるフィンランドセンターをはじめ、いろんな団体のサポートもしてきました。

よくそれだけのことができると、いつも感服しています。私は、文化プロデュースの仕事と並行して、日本やアメリカの小学校

冬の早い夕暮れ、ストックホルム

や大学で英語や日本語を教えたり、異文化コミュニケーションのレクチャーをしたりと、教育分野にもずっと携わってきました。NYのパーソン・スクール・オブ・デザイン大学の分校を日本で展開した時期もありました。最近は時間を見つけては近所の幼稚園に通っています。

自分のキャパシティを超えなければ、いろんなことにかかわることができます。そして、大切なことは、その時その時一つのことに集中することです。例えば、誰かと打ち合わせをしている時には、しっかりとその人に向き合う、会議中には携帯電話を見ないなど、極めて基本的なことです。

また、集中できる力を育てることも必要です。幸いなことに、どこでもいつでも集中できるのは私の特技の一つかもしれません。空港、ホテル、ロビーなどで誰かを待っていたり、飛行機の搭乗を待つ間とかも。ちょっと告白すれば、この本もいろんな国でいろんな場所で、文化のこと、社会のこと、人のことを考えながら、そしてヒロコと共有した経験や瞬間を思い出しながら書きました。

スサンナがこの本の原稿をどこで書いたのか、私が知る限りでも、ストックホルム、ヘルシンキ、ロンドン、ニューヨーク、東京、大阪があります。この間は、ホテルのロビーで、博士論文提出の学生に主査としての指導もしていましたね。

また、先日、一緒に大阪に移動する新幹線の中で、お互いに抱えている仕事があって、特にスサンナは原稿の締め切りが迫っていて、ひとしきりおしゃべりした後に、「じゃあ、仕事をしましょう」とそれぞれパソコンに向かいました。移動中の隙間時間を上手く使うことができることもスサンナと私の共通点でもありますが、スサンナを見ていると、「忙しい人ほど、仕事ができる」と思ってしまいます。

TOPIC 07

自分を信じて何度もトライする

自分のキャリア人生において、自分がやりたいと思ったことを実現してきたのは本当にありがたいことだと思っています。もちろんそのために自分自身も努力をしてきたことは確かです。一生懸命頑張り、失敗しても何度もトライするガッツを持ち、厳しい局面に出くわしても自分を信じてやってきました。好奇心を絶やさず、自分の持っているものは他者とも共有し、人として成長したいと願って歩んできました。最近は、嬉しいことに、私の二人の娘も成長して大人になり、彼女たちから教えてもらうことも多くなりました。

今、私は、美術館の館長であり美術館学の教壇にも立ち、フィンランド、イギリス、スウェーデンで仕事をし、日本文化にもすっかり魅せられ、仕事を通じて評論、インタビュー、論文、書籍などを執筆しています。小さい頃に、「そうなりますよ」と占われたとしても、到底信じられなかったことです。自分でもラッキーだと思います。

私の仕事のチャンスは、家族でアメリカに行き、大学院に入学したことから開かれていきました。修士課程の2年目から大学の日本語専任教師となり、当時の連れ合いが帰国しても、四人の子供と共に1年長くアメリカに残りました。東京に戻ってからは、大学で非常勤講師としても教えていましたが、縁があって、海外との技術提携をしている会社の連絡や交渉の窓口としても働き始めました。アメリカやドイツに出張して会議に出席する機会が増えると、次第にビジネスの面白さに目覚めていきました。そうして、文化が異なった分野の人や組織を繋げるプロジェクトを立ち上げる会社を設立することになりました。一つのプロジェクトが終わると次のプロジェクトが始まるという試行錯誤の過程を繰り返して仕事の場を広げ、最近は、美術展の企画・運営に深くかかわっています。自分の仕事を見出すのにずいぶんと時間がかかりましたし、回り道もしま

アアルト建築の代表作、パイミオ・サナトリウム

した。ひどい失敗も何度もありましたが、諦めることなく続けてこれたのは、人との出会い、みなさんに引き立ててもらい、良いチャンスを与えてもらったお陰です。

TOPIC 08

オープンでフラットな組織

北欧の国では、女性、男性、その他にかかわらず、平等に扱われることを基準にしています。基本となるのは、性別でなく、その人に何ができるかです。

日本では、残念なことに、まだまだそこまでいっていません。女性の社会進出世界ランキングなどを見ると、日本は随分と下位に位置しています。

もちろん、北欧でも実現までには長い歴史がありますし、パイオニアたちの勇気と努力がありました。今日の社会においても、大臣、CEO、館長、科学者などのトップなどの地位を得るためには懸命に働かなければならないことには変わりはありません。

イヤー・オブ・ミュージアム賞の授賞式。左は、スウェーデンの文化大臣

スサンナは、子供の頃から、したいと思うことはなんでも誰でもできると励まされて育ってきたのですよね。

はい、そうでしたし、私の娘たちにも同じことを言っています。自分がしたいと望むことはなんでもできる、実現できるかどうかはあなた次第であって、性別には全く関係のないことだと。
私は「館長」ですが、女性であることを強調して、「女性館長」と呼ばれることはありません。
その上、北欧では、階級ということもあんまり気にしません。会社や組織内での役職にかかわらずお互いをファーストネームで呼びます。私は、同僚から館長やペッテルソン博士でなく、スサンナと呼ばれています。スウェーデンでは、二人称の場合、よりフォーマルなniよりもduで呼び合うのが一般的です。(ドイツ語のdu/sie、フランス語のtu/vouz)。

ファーストネームで呼び合うことが日本で定着するには、まだまだ時間がかかりそうですが、少なくとも肩書きや役職で呼ばないようにすることは直ぐに始められるのではないかと思います。そういう身の回りの小さなことから始めることが、ジェンダー差別のないオープンでフラットな社会を実現していくことに繋がっていくはずです。法の整備も必要ですが、やはり一人一人が意識を高め、自分にできることから変化を起こしていくことですね。まだまだ、幼稚園や学校のクラスの中を男女で分けることを見かけますが、それも早く無くなって欲しいものです。

TOPIC 09

仕事を変えることは、本のページをめくることと同じ

仕事を変えることは、読書中にページをめくることに似ています。私の場合、自分から新しい仕事を見つけるよりも、仕事の話が持ち込まれることが多々ありました。ヘッドハンターからのアプローチです。いろんな話が持ち込まれ、即座に断ることもありました。フィンランド国立オペラカンパニー、フィンランド国営放送、アラブ諸国の国立美術館などからのオファーは、自分は音楽やテレビ、ラジオについて何も知らない、アラビア語が全く話せないとの理由で断りました。どんなに魅力的に見える仕事のオファーがあったとしても、自分の限界を知り、「ノー」と言うべき時には、しっかり「ノー」と言う。逆に、自分の中に何か燃えるものがあれば新しいチャンスとして「イエス」と答える。これが私のポリシーです。

私の場合は、自分の会社なので、仕事を変えるのでなく、どんなプロジェクトを誰と一緒にやるのかが大きな選択になります。自らがイニシアティブを取ってスタートするプロジェクトが多いのですが、仕事が持ち込まれる場合は、スサンナと同じように、「自分の中に燃えるものがあるか」どうかはとても大きな要因になります。

自分の仕事を愛するがゆえに、ついついいろんなことに手を出してしまう傾向がありますが、仕事を抱え込みすぎるのを防ぐには仕事を選ぶしかないと、頭では分かってはいてもなかなか苦労しています。もちろん、判断基準となるのは、仕事の内容だけでなく誰と仕事をするかは大きいです。才能のある野心的な人、そしてユーモアのセンスがある人、とても重要です。何よりも、同じ価値観を持つ人と仕事をすることは基本中の基本です。

咲き誇るミッドサマー・ローズ、ヘルシンキ

TOPIC 10

難しい決断をしなければならない時

随分と前に、難しい状況にいる同僚の一人から相談を受けたことがあります。彼は、とある組織のディレクターに辞職を勧告する立場にあり、それを具体的にどう本人に伝えたらよいのか困っていました。状況を簡単に説明すると、そのディレクターは、何十年もその職に就いていたのですが、ひどいアルコール依存症に陥り、何度も忠告を受けたにもかかわらずたいした改善も見られず、そのため職場全体が壊滅的な混乱に陥っていたのでした。

私は以前に同じような問題に直面した経験があったので、同僚の話を聞いた上で、最終的には責任者である私が最善の努力でもって対応することにしました。そして、極めて率直に、しかし断固とした姿勢で辞職するように告げました。その際に私が心に留めたことは、問題を起こした当人が、辞職勧告されるという厳しい状況にありながらもプライドを持って職場を去ることができるようにサポートするということでした。

スタッフに辞職を告げるのは、本当に辛いことですね。私が自分の会社をスタートさせる時に、先輩の経営者からの助言の一つが、「従業員に辞めてもらう時に、それがきちんとできれば初めて一人前の経営者だ」でした。そして、そうせざるを得なかった苦い経験が私にもあります。その人にミスがあった訳でも何もなく、会社の経営方針の変更などの理由により辞めて貰わなければならなかったのです。それは、大変厳しく心苦しいことでした。次の職場を探す手伝いをしたこともありますし、本人の将来を考えると他の職場で新しいスキルやネットワークを築いた方が良いと薦めたこともあります。また、雇い主と従業員との関係から離れることによって、パートナーとして新しいフラットな形で一緒に仕事ができるようになった場合もあり、それが一番理想的な形でした。そして、このような経

験が、やがて、社内のスタッフだけで対応する形からプロジェクトごとに外部の人も巻き込んだ専門チームを編成して進めていく形になっていきました。

家族で休暇中に訪れたコロッセウム、ローマ

失敗から学んで賢くなっていく

ふとした拍子に、これまでに行った自分の人生の決断が正しかったかどうかと気になることがあります。また、日々の忙しさにただ流されていくのでなく、時々立ち止まって、振り返って考えてみることの必要性も感じています。しかし、後悔はダメです。過去は引き戻せないのですから、後悔するのは時間の無駄です。気持ちを立て替えて、失敗から自分は何を学んだのかとシフトすることこそが大切です。

思い出したくもない失敗もありますよね。私は、興味が湧くと、知らない分野に躊躇せず分け入って、学びながら仕事をしてきた部分があるので、手痛い失敗は数限りなくあります。最近も新規事業で大失敗をしでかしました。

そんな時、きっと全てを投げ出して逃げてしまいたくなるかもしれませんが、逃げてはダメです。困難に直面した時に逃げては、何の解決にもなりません。

確かに、逃げてはならないことは知っていても、やはりひどく落ち込みます。挫けないようにと自分に言い聞かせる中でふと気がついたのは、「野球選手でも3割打てばスーパー打者なんだから、10ある仕事のうち3つ実現できれば、私もスーパースター」と言うことでした。そして、一つのプロジェクトに失敗したとしてもそれで人生が終わったわけでもなく、まだまだやりたいことはいっぱいあるのだから、次を目指して頑張ろう、くよくよしないで前を向いていこうと思うに至りました。

自分に優しくすることもとても重要ですよ。一人の人間にできる事には限界があります。スーパーヒューマンである人なんていません。また、なかなかできないことですが、他者を許すことです。

それはすごく難しいことです。私もそうですが、自分の失敗イコール、誰かを責めている場合が多いですから。

もう一つ加えるならば、「ノー」と言うことを学ぶことも必要です。これも言うは易し行うは難し。本質的に私たちは人を喜ばせたい、失望させたくないと思っているので、例えば誰かから魅力的な申し出があると、なかなか断ることはできません。しかし、流されてしまうのは危険です。自分を一度鳥の立場に置いて、鳥の目から見てみる、あるいはヘリコプターに乗っている自分を想像したりして、俯瞰した観点から何が最善かを考えてみることです。

情に流されることなく、俯瞰して冷静に判断することですね。よく困難にぶつかった時ほど、その人の真価が出ると言われています。逆風の中を毅然として立っている人を見ると、その人を実際に知らなくても、勇気や元気をもらうことがありますね。そして、自分が手痛い失敗を経験すると、同じように失敗した人に対してより優しい気持ちになり、応援したくなりますね。それは、失敗から得ることができる大きな学びです。

TOPIC 12

メンターを探せ

大学を出て初めて美術館で仕事を始めた頃、経験豊かな先輩のアシスタントをしながら、彼女が今までのキャリアで学んだことを丁寧に教えてもらいました。彼女は、自分の知見を惜しみなく教えてくれる素晴らしいメンターであり、やがて仲の良い友人になりました。今も彼女のことを尊敬していますし、自分がまだ駆け出しの頃、そういう先輩に巡り合ったことに深く感謝しています。そのような人のもとで働いた経験は私の宝ですし、今も決して忘れることのできない楽しい思い出がたくさんあります。

素晴らしいですね。職場で上司や先輩に恵まれるかどうかは、その後の職業人として人生に大きな影響を与えます。メンターは、職場だけでなく、職場以外でもいると良いですね。何か困った時にまず相談できる人、その分野のことをよく知っている人、あるいは社会経験豊かな人格者などです。長い仕事人生において、仕事のクオリティを保つ意味でも必須のような気がします。

避けなければいけないのは、他人の悪口を言う人、一方的に自分のことばかり話す人、すぐに感情的になる人、自分の判断を正しいと押し付ける人です。逆に、メンターとして相応しい人は、年齢や社会的な地位にかかわらず真の意味で知恵がある人、物事の両面を見られる人、静かに話を聞いてくれる人です。困った時や新しい仕事にチャレンジする時に、そのような人が周りにいて気軽に相談できれば、どれだけ安心なことでしょう。このようなメンター制度がシステムとして確立されると良いですね。

ある日のヘルシンキの夕暮れ

TOPIC 13

困っている友だちを助ける

自分の周りの親しい人が困っている時、あなたならどうしますか？ 誰にもそういう経験があると思いますが、私は、しっかりその人に向き合い、まずはじっくりと話しを聞いてあげます。相手が十分というまで何回も聞いてあげることが必要な場合もあります。私の友だちの中には、離婚、親しい人との死別、家が火事など大変な災難に遭った人がいますし、いきなり解雇されて経済的にひっ迫してしまった人もいます。不正行為や指導能力の無さが原因で新聞沙汰になった人もいます。

困った状況にいる友人に対して、一番してはならないのは、その友人の前から姿を消してしまうことです。それは、友だちとして失格です。また、問題がまるで存在していないかのように振る舞うこともいけません。私はそういう時、その人に率直に質問したり、状況を分析したりして、打開策を一緒に考えようとします。そして、先を明るく見て、人生の素晴らしさを改めて思い起こさせようとします。真っ暗闇の中にいても未来が存在することに気づくことこそが一番の解決方法と思うからです。

相手との関係、自分がどこまで立ち入ることができるかどうか、そのタイミングを含めて、まずは自分に覚悟が要りますね。中途半端なことはできないですから。

逆に自分が困って助けを必要とする時、フィンランドの友人たちは本当に頼りになる存在です。個人的なことも仕事上のことも含めて、私も今までいろんな場合に助けてもらいました。とあるプロジェクトが最後の段階で破綻しかけた時に助け船を出してくれたのも、暗中模索の時に実践的な道を拓いてくれたのも、予算がなくて身動きができない時に人を紹介してくれたのもみんなフィンランドの友人たちです。また、船を出すとか、沼地で足を取られてしまって動けなく

アアルトベースとチューリップ

なった時なども、その場で助けてくれたのもフィンランドの友人たちでした。頼もしい味方です。また、森の中に入って食べられる草を取ってきてくれたり、毒キノコの見分け方を教えてくれたり、身近な自然との付き合い方の先生でもあります。

TOPIC 14

思いついたらすぐに電話する

高齢の友人や親戚が身近にいますか。年をとっていくにつれて、一人暮らしであろうが、同居人がいようがいまいが、人とのコンタクトを楽しみにしている人が多いはずです。訪ねていく時間がなくても、電話でも葉書でも、思いついた時にはすぐに連絡してみてはどうでしょう。私にもそういう年上の友だちがいます。その一人は85歳のアート・コレクターです。彼とは定期的に電話をして、

晩秋の夕焼け、ストックホルム

アートについて人生について話し合います。ある週末に、ふと彼に電話をしなくてはと思ったのですが、他のことにかまけてしまいしませんでした。すると、その二日後に彼から電話をもらい、重い病気で11日間も入院してやっと家に戻って来たところだと言われました。驚いてしまいましたが、元気そうだったので、いつものように人生や死、希望、恐怖などについて話をして、最後に今度は夏の空を一緒に見上げに行こうと約束して電話を切りました。

思いついた時に彼に電話しなかったことを後悔するとともに、これからは、誰かのことを思ったら、必ず電話をしようと心に誓いました。電話をしないよりもした方が絶対に良いに決まっています。友人のためにはいつでも時間を割くことが大切なのですから。

私も、思いついたら必ず連絡するようにしています。ソーシャル・メディアも有効に活用しています。気軽に連絡し合えるし、絵文字もちょっとした気持ちを伝える時には便利です。そして、「以心伝心」とばかり、「ちょうど、あなたが最近どうしているかと思っていたのよ」などと返ってくると、思いやる気持ちは一方的でなくお互いであることに気づいて嬉しくなります。

また、年上の友だちがいることは、実にありがたいことです。私の場合、ちょうど10歳年上のアメリカのバークレーに住む友だちがいます。今も精力的にものを書き宗教美術学者として講演もしている人です。年に関係なくおしゃれの気持ちを忘れないことが大切、着ることに興味を失ったら日々の元気もなくなると、いつ会っても素敵なファッションです。最近はしばらく会っていなくて、時々メールで近況報告をする程度ですが、知り合った時からずっと、10年先には自分もこうありたいと、私のロールモデルになってくれている人です。

TOPIC 15

夫婦で家事を分け合うのは当然

夫と妻が分かち合って家事をするのは当然のことです。そうしない人と生活を共にすることなど考えられません。子供たちが小さかった頃、夫はヘルシンキの美術館のディレクターでしたが、家事や育児を私と全く同じようにしていました。娘たちの保育園への送り迎え、食料品の買い出し、夕飯の準備、洗濯も掃除もしていました。もうずいぶんと昔のことなので、二人で何を具体的に分担したのか今では思い出せないのですが、ありとあらゆることを分け合っていました。私たちが特別なのでなく、それが普通でした。子供が病気になれば、二人で抱えている仕事の量を話し合い、どちらがより融通つけられて子供の看病ができるのかを決めていました。

スサンナの自宅の冬風景、ヘルシンキ

家事分担する時のアドバイスは何かありますか。

私たちの場合、上手な方がすることが暗黙の了解でした。例えば、運転は私、掃除は夫などです。家事の分担に関して、夫婦の間で喧嘩したことはありません。お互いが分担責任を果たし、それが上手くいっていましたし、今もそうです。

フィンランドでは、家事をして子供の面倒を見るお父さん像を社会的にも積極的にサポートしたことも大きかったんじゃないですか。

そうですね、仕立ての良いビジネススーツに身を包み、紙おむつを抱えているお父さんを見るのは、普通のことでした。

バースデーケーキ、ムーミンのフィギュアを飾るのが家族の決まり

ルーティンワークに縛られない

ある種のルーティンワークはとても苦手です。できるだけ早く片付けると棚も机の上もスッキリするはずなのですが、これがなかなかできないのです。そうしない大した理由もなく、ただ退屈な仕事をやらないでそのままにしておくことが多いのです。

でも、しなくても済むルーティンワークもあります。例えば、アイロンがけが嫌いなら、アイロンしなくて済む服を買えばいいんですから。

手抜きは多いに勧めますし、私も実践しています。台所仕事には、キッチンハサミを便利に使っています。野菜もお肉もハサミでチョキチョキするだけで、まな板をきれいに洗う手間も省け、何よりも気分的に楽です。もちろん、時々、まな板の上で、ネギやキュウリをきれいに切るのも達成感があって楽しいですが。

私が好きな日々のルーティンワークは、ベランダの植物の手入れ、水やり、乾いた洗濯物を畳むことなど。時々奮起してする窓拭きや棚の整理などは、直ぐに成果が見え、達成感があり仕事が進まない時の気分転換にもなります。

仕事中にはながら仕事はしないように心がけています。例えば、原稿を書いている時には、夕食の準備に何を買わなきゃなどは考えません。集中する時間が大切です。でも、お皿を洗っている時には、オーディオブックに耳を傾け、家で映画を見るときは編み物をしています。

私は並行でいろんなことをするタイプです。いくつかのことを同時に並行してするほうが効率が上がるようです。例えば、ある日にやらなきゃいけないことがアイロンがけとご飯作りと原稿書きと

いうような場合に、原稿に集中してちょっと一休みという時にアイロンかけたり、アイロンかけるのに飽きたら、また原稿に戻ったり。自分の集中度が切れる時に、野菜を切ったり、お皿洗いしたり、掃除機かけたりとちょっとした家事をするのがとても良い気分転換になります。

TOPIC 17

休暇プランは早め早めに

フィンランドの友人から、お正月を過ぎたまだ年が明けたばかりの頃に、夏休みの予定を相談されて、「えっ、もう夏のこと?」と驚いたことがあります。新年早々に夏のことなど考えられないと思ったからです。

北欧の国では普通ですよ。休暇は最も大切なことですから。休暇はかなり自由に取れます。大雑把にいえば、毎月二日半の有給休暇を稼ぐ計算です。ということは、1年間に約5週間の有給休暇があることなります。

休暇をどう過ごすか、誰と何をするのかを職場のみんなと共有することは最優先マターと捉えられているので、しょっちゅう話題になります。逆に、自分の休暇プランをみんなに話さない方が失礼な人だと思われてしまうほどです。

北欧の人は、一般的に、休暇を十分取るのは当然という意識が強いですね。休まないと働けない、仕事もするが休みも十分に取る。要するに、ワークライフバランスとしての休暇を大切に捉えていますね。生活のクオリティを重視する価値観です。休暇の過ごし方も、どこかに旅をしたり非日常的な特別なことを計画するのはもちろん人気ですが、森や湖の近くのコテージに行って、自然の中で特別に何もしないでダラダラ過ごすことこそが一番と思っている人も多いですね。

山の中のハンティング・ロッジ、エステルスンド・スウェーデン

TOPIC 18

典型的な一日はこんな感じです

私の一日は、6時か6時半ごろからスタートします。目が覚めたら、まずベッドの中でニュースをチェックして、その後週に何回かは朝ヨガをします。オーディオブックを聴きながら朝ごはんの準備。ブルーベリーとプレーンヨーグルト、パンのシンプルな朝ごはん。そして、緑茶を飲みながら地元の新聞を読みます。昔ながらの紙に印刷された新聞が好きです。

私の朝も、まずお湯を沸かして白湯を飲み、配達された朝刊を取りに行くことから始まります。カフェラテを飲みながら、ゆっくり新聞を読む時間がある朝は最高です。テーブルの上には必ずペンとハサミを置いて、面白い記事や文章に出会うと切り抜きます。

オフィスには、日によっては早めに行くときもありますが、大体9時ごろに着きます。バスと徒歩で通っています。道中の景色、朝は特に素晴らしいので、それが通勤の楽しみです。オフィスに着くと、コーヒー片手に仕事に取りかかります。美術館組織をリードしていくことが私の仕事ですから、次から次へと対処すべき事柄が出てきます。自分の美術館の展覧会計画を周到に進めるだけでなく、世界中を巡回していく展覧会の準備もあります。また会議に出席するだけでなく、美術関連の論文を書くことも私の仕事の大きな部分を占めます。今は、19世紀の北欧美術の本を同僚の専門家たちと一緒に執筆中です。

私も午前中は仕事場でメールのやり取りや調べものに専念して、外での打ち合わせはできるだけ午後に入れるようにしています。一日に打ち合わせや会議はせいぜい2つが理想ですが、なかなかそうはいかないことが多いですね。

ところで、スサンナはオフィスにいる時のランチはどうしているのですか？

お昼はその日のスケジュールによっていろいろです。ランチミーティングがない時は、直ぐに食べられる簡単なものを食べます。身体にやさしいものを食べるように心がけていて、今日は、オートミールバナナとスムージーでした。お粗末なくらいシンプル。でも、午後の仕事を片付けるにはそれで十分のエネルギーが得られます。ランチ休憩は、ビジネスランチ以外の時はだいたい30分から1時間が平均的です。

勤務時間は、8時から4時、あるいは9時から5時が一般的ですが、もっと早く始めその分早く終わる人もいます。逆に遅くスタートして遅く帰る人もいます。時間帯については、職場やチーム間の話し合いで決められ、週に二日は在宅勤務が可能です。

館長職だと勤務時間どおりに帰ることは少ないのではありませんか。

仕事に関連したイベントは毎晩のようにありますが、できるだけ夜の8時以降は仕事をしないようにしています。自分自身のための時間、家族や友だちのために割く時間を多く取りたいからです。本を読んだり、編み物をしたり、エクササイズしたり、リラックスする時間も意識して作っています。そして、遅くとも10時半には寝ます。睡眠はとても大切で、朝起きた時に頭がクリアであるように睡眠を十分取るように努めています。

photo : Susanna Pettersson

CHAPTER

3

私たちの
バックグラウンド

TOPIC 01

ヘルシンキ生まれの都会っ子と、山の向こうの世界に憧れた子

私は1966年にフィンランドのヘルシンキで生まれ、カタヤノッカと呼ばれる界隈で育ちました。港に面したマーケット広場から近くて、ウスペンスキー聖堂、トーベ・ヤンソン広場があり、ユーゲント・シュティール建築がたくさん残っているところです。

母は教師、父は建築家でした。弟が一人いますが、両親が離婚して父が再婚したので二人の異母弟たちもできました。典型的な街育ちで、田舎に行って牛を見ただけで怖くなってしまう程でした。子供時代の夏は家族でフィンランドの群島をよくセーリングしたので、海は私にとって今もとても大切な場所です。

私は、山口県山口市で生まれ育ちました。山に囲まれた盆地で、小さい頃から山の向こうにはどんな世界が拓けているんだろうと、いつも想像力を逞しくしていました。明治以後首相を八人輩出したことを誇りに思う保守的な地域でしたが、町の中には16世紀に日本に初めてキリスト教を伝えた聖フランシスコ・ザビエルを記念した教会があり、毎週日曜日の朝には教会の鐘が町中に鳴り響いていました。

父は会社を経営していました。弟と妹の三人兄弟です。しっかりものの長女タイプ。活発で体も大きく、男の子と外で走り回って遊ぶ典型的なお転婆でした。

ヘルシンキの海に広がる群島の一つからの眺め

TOPIC 02

子供の頃の夢は、看護師か教師でした

子供の頃は、看護師か教師になりたかったのです。10歳の頃には、20歳は立派な大人だと思い、自分がその年になった時には結婚して子供が三人いるだろうなななどと想像していました。しかし、10代に入ると、将来の夢が作家かジャーナリストに変わりました。そして、どんな仕事に就くにせよ、書くことと関係あることをしようと決めていました。

高校生になると、学問の世界に進むことを目指したいと、自分の中で確信するようになりました。誰に言われた訳でも、仕向けられた訳でもありませんが、アートの分野で仕事をしたいと思い、大学では、美術史、歴史、美術館学を学び、博士号論文は、フィンランドの芸術作品コレクションの歴史でした。

スサンナの家のリビング。チューリップの向こうに見えるのは、オーラ・コーレマイネンの写真作品

大学時代には、リーダーシップやコミュニケーション、マーケティングの講座も受けました。

仕事を通じて今まで、書籍、論評、インタビューや書評など、ずっと書くことを続けていますが、書きたいと思っている本のアイデアはまだまだ沢山あります。主に、私の大好きな専門分野であるアートや美術館に関連したテーマですが。

私も小学校の時には教師に憧れていました。10代になると、外国と関係ある仕事をしてみたいと思うようになり、高校生の時、1年間アメリカに留学しました。それから東京の大学に入り、卒論はアメリカの詩人、エミリー・ディケンズでした。学生運動が盛り上がった時期でしたが積極的にかかわることはなく、だからと言って勉学に精を出す訳でもなく、いろんなアルバイトに精を出していました。家庭教師、翻訳や通訳の仕事など、なかなか良いアルバイトの口があり、社会に目を開いていくきっかけとなりました。

卒業後の仕事に関しては、毎日9時から5時まで働く自分の姿がどうしても想像できませんでした。中学生の時に父から「安定した職業を目指すのであれば公務員になるのが良い。しかし、父さんはそれがお前に向いているとは思わないが」と言われたことが妙に頭に引っかかっていました。

大学4年生の時に結婚し、近所のアメリカンスクールで小学生に日本語を教える職につきました。その後四人の子供に恵まれ、出産と育児、家事に日々明け暮れた何年間かを過ごしていた時、家族でアメリカに住むことになり、私は大学院で応用言語学の勉強をすることにしました。

TOPIC 03

私のホームベースはアテネウム美術館

美術館は私の世界そのものです。まるでタイムカプセルみたいに、私のアイデンティティ形成の塊をそっくりそのまま育成してくれる場所です。すなわち、自分の世界を創生するために、美術館は私の記憶装置の場であり、インスピレーション、学び、熟考の場を提供してくれるところです。

最初の美術館の出会いはいつだったのですか？

私のホームベースは、ヘルシンキにあるフィンランド国立アテネウム美術館です。これからも永遠にそうです。美術館は、私の学術リサーチのテーマであり、同時にこの35年間にわたり、私を

©Visit Finland / photo : Aleksi Poutanen

フィンランド国立アテネウム美術館

雇ってくれたところでもあります。

幼い日に、祖母と初めて訪れた時のことをよく覚えています。彼女自身も画家でしたから、展覧会場を歩きながら絵のことをいっぱい話してくれました。そんな人が私のおばあちゃんであることをなんと誇りに思ったことでしょう！ アテネウムでまず、ガイドとして働き始め、やがて館長になりました。名誉なことです。

私はスサンナがアテネウム美術館の館長になった最初の展覧会オープニングで、お母さまにお目にかかりお話をする機会がありましたが、スサンナのことをとても誇りに思っていらっしゃることがよく分かりました。

スサンナの祖母ヘルヴィ・ホッカネン-ペッテルソンの絵画「スオメリンナの眺め」(1952)

TOPIC 04

尊敬できる女性が身近にいる幸せ

子供の頃には気にもしませんでしたが、振り返ってみると、尊敬できる女性が私の身近に何人もいて、そのことが私の人生でとても大きな意味を持っていることに気づきました。その筆頭が母です。女性であっても望めば何でもできるということを母は身をもって教えてくれました。模範的なロールモデルを母が示してくれたから、私は何の躊躇もなくここまで遠く飛ぶことができたとも言えます。

「闘志を持て」と母は言いました。女の子であっても年上の男の子たちと十分闘えることを小さい頃から知っていた母は、仕事を持っても、当時は典型的な男性社会だった校長職の世界にあって時に厳しい波に巻き込まれながらも決して諦めることなく、公正で平等な姿勢を貫き、厳しい態度で人生を切り開いていきました。望む地位を得るには、自分を律し懸命に働けとも母から学びました。他人の働きを邪魔して保身を図ろうとするような卑怯者を私が嫌うのも、母の影響です。

叔母も私のヒーローです。彼女は考古学者で美術史家です。冒険に溢れる人生を送り、何ヶ国語も操って国際的な発掘作業に参加し、論文を書き講義をしながらも、家では美味しい料理で人をもてなす人です。1968年以来、デンマークのコペンハーゲンに住んでいます。女性が学者としてどれほど興味あるキャリアを築けるかを身をもって実践している人です。

母方父方共に祖父母の存在は大きかったです。一緒によく出かけ、特に両親が働いている夏の間は祖父母と一緒に過ごしました。両親の介在なしに特別な関係を祖父母と持つことができたので、祖父母が年を取っても、一緒に過ごす時間をいつも作りました。その意味で、両親の育て方は賢明だったと思います。母方の祖父が亡くなった晩も、祖母と一緒にいました。16歳の時のことです。死とは何か、肉体は滅びても祖父は私の心の中に生き続けることを知りました。祖父の臨終の時に祖母の手を握りながら、人は亡くなった後もエネルギーとして存在することを話し合っていました。何十年か後に祖母が亡くなった時、愛しくて懐かしい祖母の顔が痛みから解放されていくのを見ました。まだ幼かった娘たちと一緒に冷たくなっていた祖母の頬を撫でながらお別れをしました。娘たちに、死ぬことは恐れることではなく人生の自然な一部であることを体験させたかったのです。

私の場合、母や父方の祖母は、反面教師的な役割を果たしてくれたと思います。父方の祖母は36歳の時に高血圧で左半身不随になり、脚を引きずって歩いていました。若くして夫を亡くし、苦労して育てた息子たちを戦地に送り出し、戦後は無事に帰ってきた息子たちの活躍を喜び、晩年まで家族の知恵者としての影響力を持っていた人でした。仏さまへの朝晩のお勤めを欠かさない信仰深い人でもありました。

　母は小学生の時に父親を亡くし、四人兄弟の長女として懸命に母親を助け、何でもできる完璧タイプの人でした。有能な経理として父の会社を支えていましたが、会社が大きくなるにつれてファミリー的な経営から脱出したいと父が思ったのか、仕事から身を引くようにと言われ、それからしばらくして母はリウマチを罹ってしまいます。仕事ができる人でしたから、よほど堪えたのだと思います。

母や祖母の姿を傍で見ていた私は、それぞれが理不尽なことばかり背負っているように思え、そうなりたくない、私の世代では、女であっても自分の人生を主体的に選びとっていきたいと、強く思うようになりました。

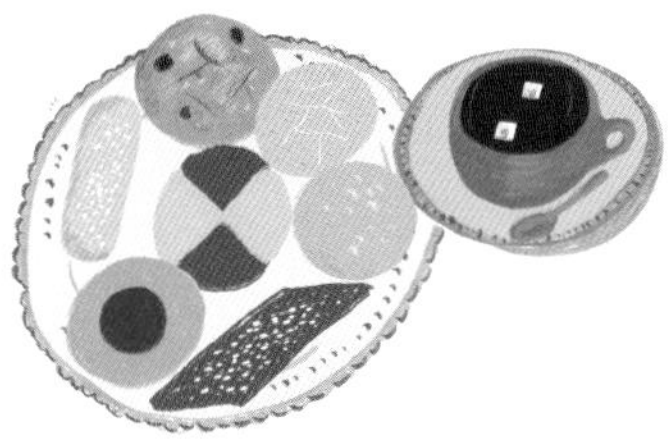

TOPIC 05

信頼されて子供は育つ

父は建築家、母は教師、若くて急進的な両親でした。母は、後にヘルシンキで最大級の中学校の校長になりました。両親は無意識にだったのかもしれませんが、私に生きる土台と手段をしっかり与えてくれました。父はセーリングが趣味で、私と弟をよくバルト海に連れ出してくれました。一度、父と二人だけだった時に、天気が急変し、帆を下げるために父がデッキに行っている間、私に舵輪をしっかり持っているようにと言いました。ごつごつした岩の島がどんどん迫ってくる中恐ろしさに身を震わせながらも、私は父から言われた通り必死で航路を守ろうとしました。幸いにも、船が岸にぶつかる寸前に父が帆を下げることができたので、危機一髪で破損を免れました。私がまだ13歳の時のことです。この船の舵取りを任された体験によって、信頼してもらえることがどれだけの大きな喜びであるかを私は知りました。非常事態の現場で、大人と同じように責任と信頼を任せてもらい、それに応えることができた自分のことをとても誇りに思いました。

父と同じように子供たちには「やりたいことは何だってできるよ」と、しっかり後押ししています。子供が小さい時も、彼らが成長した今も変わりなく、同じように子供たちを励まし続けています。

私の父は、ことあるごとに、「子孫に美田は残さず。しかし、教育には金を惜しまない」と言い、勉強したいと言えば、何でも後押ししてくれました。その代わり、自分がやりたいと言って始めたのにもかかわらず途中で投げ出した時は、厳しく叱られました。そして、私は三人兄弟の一番上として、弟や妹の面倒を見ることを期待されていました。

小さい頃は、父の経営する会社と同じ敷地に住んでいましたから、従業員の人たちや会社に出入りする人たち、親戚縁者も含め

夏の家族旅行のワンシーン、ラウマ・フィンランド

て、家族以外の多種多様な人たちがいつも誰かが家にいる環境でした。まさに、人の観察にはもってこいで、そのことが私の成長に大きな影響を与えたと思います。

TOPIC 06

ジェンダーに関係なく、一人の子供として扱われる

小さい頃から、女の子、男の子と区別されることなく、常に一人の子供として扱われました。ある夏、コテージで母方の祖父が屋根の修理をしていた時には私も一緒になって屋根に登り釘を打っていました。多分、8歳くらいのことだったと思います。祖父が釣りの仕方を教えてくれた時には、ナイフ(フィンランド語でプウッコ)を渡され、魚のさばき方まで習いました。

世界遺産に登録されているラウマ（フィンランド西岸）の木造建築

私は、小学校の頃には身体も大きく足も速くて、お人形遊びなどには興味がなく、男の子と外で走り回って遊んでいました。男の子と相撲を取っても負け知らずで、その上同年輩の男の子は精神的になんて幼稚なんだろうと思っていました。

両親から女の子らしさを強制された訳ではありませんが、どう振る舞うと「女の子らしい」と受けとめられるかをしっかり観察して、時にはその期待に添うような振る舞いをそつなくこなしていました。

60年代や70年代のフィンランドでは、男の子も女の子もユニセックスの服を着ていました。マリメッコのデザイナー、アンニカ・リマラ（1936-2014）が1968年にデザインしたTシャツ「タサライタ」は、男女、サイズ、年齢にかかわりなく誰でもが着られるように作られたものでした。リベラルな価値観の表明として、このTシャツは人々の支持を広く獲得し、フィンランドに住んでいる人は、誰でもこのTシャツを一枚は持っているはずです。

私のフィンランドの友人は、女の子の孫が生まれて、「女の子らしいピンクやフリルのついた洋服は一切お断り」と、息子夫婦からきっぱりと言われたそうです。それで、ジェンダーにニュートラルな洋服を選ぶのに一苦労って苦笑いしていました。

TOPIC 07

若い時こそ、ロールモデルは有益

ロールモデルは年齢によってどんどん変わっていきます。小さい頃から10代までは、おとぎ話に出てくる主人公やポップカルチャーのキャラクター、あるいは有名人に憧れるかもしれませんが、成長とともに自分の興味のある分野のことをもっと知りたくなると、特定の人物よりもその分野自体に興味が移るものです。

ちなみに、私のロールモデルの変遷をお話しすると、

［ シンデレラ ］

幼い頃、大好きなお話でしたが、同時にひどく怖かったです。

［ ターザン ］

その前に憧れていたプリンセスから卒業して、ジャングルに興味が向かい、野生のヒーロー、ターザンの虜になりました。

［ ヨーコ・オノ ］

20歳になる前には世界平和を目指し、80年代には核兵器に反対するデモに参加しました。

［ バラック&ミシェル・オバマ ］

二人は近代社会に多大な貢献を成し遂げ、不屈の精神を発揮したと思います。

［ 私の二人の祖母、母、二人の娘 ］

無条件の愛と正義とインスピレーションの源です。

［ 同僚たち ］彼らの知恵に対して

その他にも、優れたジャーナリスト、才能のある作家、近代の哲学者などなど。

私は、小学生の頃は、シュバイツアー博士、蟻の町のマリアなど、弱者に手を差し伸べる人に憧れていました。ケネディ大統領の就任演説にもいたく感銘を受け、高校生でアメリカに留学した時に、アーリントン墓地に墓参りに行ったほどです。

咲き乱れる赤いバラ、ストックホルム

TOPIC 08

自然の恵みをいただく暮らし

都会で暮らす中で、自然に触れる時間を持つことを最近ますます大切にするようになりました。四季の移り変わりを愛で、自然を読み解く術をできるだけ身につけたいと思っています。夕方、ツバメが空高く飛んでいくのを見て、「明日はきれいに晴れる」と思い、食べられる野生のベリー、ハーブ、キノコを見つければ、そのまま摘んで食べたりします。

私は日本海と瀬戸内海のちょうど中間点に位置する山に囲まれた町で育ったので、海と山の両方の恵みをいただいて育ちました。店頭に並ぶ旬の食べ物によって季節の移り変わりを身近に感じることができました。小学校の時には、学校の帰りに遠回りして新鮮な魚、野菜、果物の並ぶ活気溢れる市場を通って帰るのが大好きでした。そのせいか、今も仕事でどこに出張に行っても、その地方の市場や道の駅に行くのが楽しみの一つです。

祖母は裏の畑からイラクサやタンポポやヌメリイグチを取ってきて料理していました。子供の頃、指の切り傷に祖母がオオバコの葉っぱをちぎってのせてくれた途端に痛みが和らいだのを覚えています。化膿止めにもなるのよと祖母が言っていました。オオバコは薬草として長い歴史があるだけでなく、食べられることも大人になって知りました。

自然との付き合い方を知っている人たちに憧れますね。私はせいぜいベランダのプランターにハーブを植えて料理に使うくらいですが、以前に山菜採りの名人といわれる人と一緒に山に入り、食べられる野草や山菜を見つけ、その場で天ぷらにして食べたことがあります。そういう知識を持っている人のことをとても羨ましく思い

ます。

戦争を生き延びた祖母たちの年齢の人たちは、食べ物も何もかもが欠乏していたので、手に入るものをどうやって食べるかは死活問題でした。例えば、コーヒー豆が手に入らなかった時代にはタンポポが代用品となりました。現在の若者たちは、このような知識を環境保全の観点から利用しようとしていますし、野生のものをそのまま料理することがトレンドになってきています。ハーブを使った料理本で人気のサミ・タルッベリは、大変人気がありますね。最近のレストランはこぞって野生味溢れる要素を料理に取り入れようとしています。

アイノとアルヴァ・アアルトがデザインしたことで有名な「サヴォイ・レストラン」にも屋上ハーブ園がありますね。ヘルシンキのスカイラインにぴったりマッチして素敵です。また、ヘルシンキには、ゴミゼロを目指しているレストランの「ノッラ」もありますね。

自然はとてつもない大きな力を持っています。そして私たちの体の中にも、古い木、森の苔、岩、湖や海の匂いなどの自然がしっかり刻まれています。この大地が自分の存在する以前にもあり、自分の死後も変わることなく存在していくと思うと、心が安らいできます。

TOPIC 09

おとぎ話から人生の教訓を学ぶ

子供の頃、おとぎ話を読むのが大好きでした。西ヨーロッパのおとぎ話といえば、誰でも知っているのがグリム兄弟編纂のグリム童話(1812年、1815年)です。今の子供たちは、ディズニー映画でシンデレラや眠れる森の美女や白雪姫などを知るのでしょうが、私の時代は、グリム童話をはじめとして、人魚姫で有名なデンマークのアンデルセン(1805-1875)童話集やギリシャ神話、そしてキツネやうさぎ、リスやその他森に住む動物たちがたくさん登場するフィンランドの民話を読んで育ちました。民話には、知恵の種ともいえる教訓が散りばめられていて、私は、何をして何をしてはいけないのかを民話の世界で学びました。

神話や民話、ファンタジーは私も大好きです。子供の時に読んだだけでなく、今も定期的に読み直しています。ついこの間も、「ゲド戦記」読み直しました。近いうちに「指輪物語」を再読する予定です。宮沢賢治も大好きです。フィンランドのトペリウスの「星のひとみ」も小学生の時に読みました。今も、「マチルダ」、「モモ」、「ナルニア国物語」、「はてしない物語」など、本棚からすぐ手に取れるように並べています。

現代の観点からすると、昔のおとぎ話は怖くて残酷に思えるかもしれません。子供を食べる魔女、継娘をいじめる継母、町に放り出される子供たち。アンデルセンのみにくいアヒルの子や、マッチを売りに町に行かされ家に帰るのが怖くて凍え死んでしまったマッチ売りの少女の話を読みながら、おいおい泣いた日のことを思い出します。あれは社会正義に目覚める最初の体験だったかもしれません。助けや援助を求める人を見殺しにしてはいけない。子供は、無条件に愛されるべきだと。

昔、近所の小学校に週に一回英語や異文化コミュニケーションを教えに行っていた頃、海外の友人や知人が来日する度に授業に誘い、生徒たちに引き合わせていました。ある時、ボストンチルドレンズミュージアムの館長が来てくれて、文化人類学者として南米の未開の地で暮らした時の経験を話してくれました。子供たちは熱心に聞いた後に、6年生の男の子が、「お話の中に出てきた病気になった子はその後どうなったのですか?」と聞きました。その子は、聞いた話を遠くで起きたことだと思わずに、病気の子のことが自分ごととして心配になったわけです。他人の災難や困難を自分ごととして想像する力、これこそ地球に人類だけでなく、動物、植物を含めた生きとし生けるものが共存していることを知るのに必要な力だと思います。

ヨハン・ピーター・モリン設計の噴水の一角、ストックホルム王立公園

TOPIC 10

本は未知の世界への窓

本は自分の知らない世界への窓です。また、本には、教育や情報操作リテラシーを学ぶことができる側とそうでない側に、社会が分断されるのを防ぐ役割もあると信じています。子供に手がかかる時期を除いて、本はいつも私の身近にあります。10代の頃は、1年間に120冊くらい読んでいました。そして、本の名前と作家を記した読書ノートをつけていました。

私は小学生の頃、図書委員をしていました。大学生の頃も図書館でアルバイトをしていました。本を読むだけでなく、本の修繕を学んだり、本を整理して並べることも好きでした。

今は、仕事とは関係ない分野の本を一週間に最低1冊のペースで読んでいます。本を読むことに没頭していると、仕事や日々の雑事でいっぱいの頭を切り替えることができ、インスパイアされ思考することの大切さを呼び醒まされます。読書ノート代わりに最近はインスタグラムで感想をアップしています。一人の読者としての感想を他の人と分かち合うことができるメディアと思い、大いに利用しています。現代作家、評価の高い新人作家のものや受賞作、世界的に著名な作家のものが中心ですが、昔読んだ名作を読み直すことも多々あります。

最近、本棚の整理をしました。今後読むことはないだろうと思う本と、ずっと手元に置いておきたいと思う本を分けようとしましたが、手に取った本をついつい読み出したりして……これが思いのほか大変な作業でした。相当片づけたと思ったのですが、その後も新しい本が増え続けています。どうしても印刷された本を手にとって読みたいので、これはもう仕方がないのかもしれません。また、

佇まいの良さそうな古本屋や本屋を見つけることも楽しみの一つです。散歩の途中や、知らない街を歩いている時に、そんな本屋に出会えると嬉しくなります。

個人的な最近のお気に入りは、村上春樹、エリザベス・ストロウト、2018年にノーベル賞を取ったポーランドの作家、オルガ・トガルチェックです。村上の静謐な観察力、ストロウトの酷い性格を持ちながらも魅力的な登場人物を創り出す力、トガルチェックの豊かな想像力に惹かれます。

この間、たまたま村上春樹の「風の音を聴け」を英語版で読んだのですが、昔日本語で読んだ時のイメージと英語に翻訳されたイメージの間に、あまり違和感を感じなかったことがとても印象的でした。「色彩を持たない多崎つくると、彼の巡礼の年」には、ハメーンリンナの町が登場しますね。

自分の読んだ本を知人に勧めたり、友だちや家族と感想を語り合うことをよくします。本を身近な人へのプレゼントとしてもよく使います。最初に本の世界の面白さを私に教えてくれた人は母ですから、母とは、本を話題に話すことが多いです。読んだ本の中で一番惹かれた引用文をお互いに披露したりします。

フィンランドの人々はよく本を読みますね。クリスマスプレゼントの時も必ず本がプレゼントの一つに入っていますね。老若男女にかかわらず図書館にもよく通っています。それは、長い冬を過ごす楽しみの一つでもあるからでしょう。

TOPIC 11

歴史は終わりのない物語

口承文学にはずっと興味があります。どうやって作られたのか、なぜ作られたのか？ 誰が書いたのか？ 何が残り、何が削られたのか、などなど興味は尽きません。

随分前のことですが、アメリカ・インディアンの神話、ナバホの創世物語を日本語に翻訳したことがあります。ナバホ語で口承で伝えられた物語の英訳を日本語にしたものです。共訳でしたが、訳しながらその世界観にすっかり魅了され、何度もアメリカの南西部のナバホ族の土地も訪れました。

美術史の研究者になった時、ヨーロッパ、特にフィンランドの美術館史について、過去の専門家たちが判断した歴史の流れを全て知りたいと思いました。なぜ他の作品でなくその作品がコレクションに加えられたのか、その決定のプロセスはどうだったのか、時代による美術館の役割はどう大きく変化したのか？ 19世紀と今と比べてどこが違うのか？ などなど。しかし、この研究に終わりはなく、今も続く息の長い仕事となっています。

スサンナの博士論文は、19世紀フィンランドのアートコレクションの歴史でしたよね。歴史を知ることの重要性は何でしょう？

今まで、博士論文執筆のために論文や書籍をたくさん読みましたし、美術作品をテレビで紹介するための原稿もたくさん書きました。美術に関する講義は何回したのか数え切れないほどです。しかし、すればするほど、ますます歴史を知る重要性を感じています。歴史を学ぶことによって、どんな議論や討論の場に出くわしても動じることなく、自信を持って応じることができる揺るぎない土台

ベングト・エルランド・フォーゲルベルクのアポロ像、スウェーデン国立美術館

を自分の中に築くことができたと思います。

歴史は終わりのない物語ですから、歴史を知ることによって、これから起きるであろう問題への解決のヒントを得ることもあります。それゆえに、ファミリーヒストリーであれ、企業の歴史であれ、国の歴史であれ、人は歴史を知ることが大切だと私は思っています。

TOPIC 12

子育ては、自分を成長させてくれる

娘たちはもうすっかり大人になりましたが、私にとって、彼らこそ最高でかつ最も要求の高い教師でした。例えば、忍耐強くあれとは、まだ小さくて目が離せなかった育児時代に娘たちが私に教えてくれたことです。私は常にやりたいことがいっぱいあるタイプですが、子供が生まれるとそういう訳にはいかず、自分がしたいことを最優先にせず、娘たちのために家に居る必要があることを学ばざ

スサンナの家の庭から見上げた空、ヘルシンキ

るを得ませんでした。

逆に、私が二人の娘に最初に教えたことは、他の人を傷つけてはならないでした。拳骨で人を叩かない、言葉で人を傷つけない、マイナスの考えを他人に押し付けない、そして、他人を助け、道を外れてしまった人がいたら、元に戻れるようにできる限り助けなさいと。

娘たちからは、人の話を聞いてどう答えるのが良いのかや、言ったことは必ず実行すべきということも学びました。許すこと、ごめんなさいと言うことも娘たちが教えてくれたことです。また、私の価値観をどこまで持ちこたえることができるかも娘たちからテストされたとも言えます。

子供との良い関係を保つには、心底正直であることです。決して嘘をついてはなりません。そして、どんなに辛い悲しいことでもそれを子供にきちんと伝える勇気を持つことが大切です。

うちは子供が5年間に四人生まれ、年齢も近かったこともあって、子供たちがお互いの関係の中で育っていくだろうとの勝手な思い込みがありました。それを良いことに放ったらかしにして、私はやりたい仕事に精を出していました。告白すれば、育児から目をそらすために仕事を口実にしたこともありました。ですから、今になって子供たちの口から、「あの時はこうだった」などと聞くと、ヒヤッとすることがあります。

子育ては、決してワンオペでは無理です。一人で抱え込むことは危険です。親だけ、家族だけにも限界があります。ご近所、地域の人々など外からの助けが絶対に必要です。ヘルプと言える環境、助けてもらえる人がいることが、子育ての時には何にも増して一番の安心です。

TOPIC 13

自分と対話する時間が必要

祖父は大学教授として、研究と教鞭、執筆に生涯を捧げた人でした。彼の一日がどのように費やされるのか、幼い頃からよく知っていました。朝の9時まで寝て、朝食の後から執筆活動。昼食を食べた後に昼寝をし、午後は読書の時間。鉛筆を持ちながら興味がある文書に記しを付ける。そして散歩に出かけ、戻ってから夕食まで再び読書。夕食の後も同じく読書。判で押したような一日でした。子供として心得ておかなきゃいけないことは、祖父が執筆している時は決して邪魔してはならないでした。邪魔されるのが大嫌いな人でしたから。

それからおよそ30年後、私が博士論文を書いていた時、ウチの子供たちはまだ幼くて、子供たちの要求と自分の研究に対する情熱との間でバランスを取るのが大変でした。ベビーシッターが一生懸命子供たちと遊びながら面倒を見てくれていましたが、娘たちは何かと口実を作っては書斎のドアの前にやって来ました。その度に私も必死で説明を試みました。それはまるでフルスピードで高速道路を走っている最中に、いきなりスピードを緩めて道端に車を止め、エンジンを切ってドアを開けて道路に出て向き合うような感じでした。「何食べるの？」、「バービーのピンクの靴の一個が見つからないの？」、「ムーミン、見ていい？」、「まだ仕事終わらないの？」などなどの他愛もない質問に答え、再び車に戻り、ドアを閉めエンジンをかけて道路に戻り、フルスピードで駆ける。その繰り返しでした。

考えるためには時間が要ります。そして、時間を確保するためには自分中心に動く必要もあります。娘たちが書斎のドアにやってくる度に自分が立ち上がって応じないことを責める気持ちが自分の中にもありましたが、ある時、しっかり研究を行うことこそ娘にとって良い母親ではないかと気づき、罪悪感が少しなくなりました。

思考を深めるためには自分と対話する時間が不可欠ですし、インスピレーションを受け取る環境も大切です。本、アート、家族、友だち、同僚との会話……青い空、灰色の空、晴れの日、雨の日。自分の周りの世界で起きていることを考えるためには、それだけの時間が入ります。大小にかかわらず浮かんだ考えは様々な形に展開していきます。いつでも、日記をつける時にもランニングしている時にも、仕事に行くバスの中でも考えています。料理する時にも。朝、目が覚めて、まだベッドにいる時のわずかな時間でも今日の一日をどうやりくりするか考えています。

TOPIC 14

失敗のない人生こそ失敗

10歳だったかと思いますが、学校から戻って来ると母から電話があり、仕事が遅くなるから鍋にお湯を沸かしてジャガイモを茹でておくようにと言われました。母から言われた通りにジャガイモを洗い水を入れた鍋に入れ、茹で上がるのを待つことにしました。しかし、読んでいた本の続きに戻るか何かの拍子に火のそばを離れてしまい、気がつくと変な匂いが台所からしてきました。慌てて台所に戻ると、ジャガイモが真っ黒焦げ。お湯が思ったよりも早く沸騰してしまったのです。私の完全な注意不足でした。ジャガイモを焦がしてしまうなんて最低のワタシと恥じ入り、仕事から戻ってきた母に怒られることを覚悟していました。

しかし、母は焦げた鍋と真っ黒になったジャガイモを見て、ゲラゲラ笑い始めたのです。涙が出るほど笑って、そして、「頑張ったじゃない」と抱きしめてくれました。それで私も、ジャガイモを焦がしただけでこの世の終わりではないと思うことができました。

後年、成功は失敗する余裕があってこそやって来るものであることを知りました。自分が予想した通りに物事が進まなくてもそのままを受け止め、自分を許すことです。全てのことが上手くいくなんて、統計学的に見てもあり得ないことです。失敗したら、それから学べば良いのです。

仕事のことで、がっかりしたことは何度もあります。失恋したこともあります。競争に負けて、望んでいた仕事に就けなかったこともあります。しかし、必ず、その失敗が何かもっと面白いワクワクすることに繋がっていくことも経験上知っています。失敗して、かえって良かったと思ったこともあります。だから、いつもこう自分に言い聞かせています。「一つの扉が閉まったら、別の扉が開く」と。

そして、実際、本当にそうなのです。失敗すると、自分の周りの世界が壊れていくように感じたり、誰かに対して怒りが猛然と湧いてきますが、そんな時、まずこんな質問を自分にしてみてはどうでしょう？

明日からの私にどう影響してくる？ じゃあ、その次の日には、その次の週には？ 翌月には？ 半年後？ 1年後には？ こうやって、失敗の度合いを測ってみると、失敗自体を分解して捉えることができるようになります。そうなるとしめたもの。もう失敗が危険として襲ってくることはありません。良い失敗は私たちを鍛えるのです。それはいつもそうです。仕事でどんな失敗をしようと、いや、人生においてどんな失敗をしようと、それから学ぶことこそ大きな力になります。

自分の失敗だけでなく、誰かが大きな失敗をした時、その人がそれにどう対処したのか、痛手からどう立ち上がったのかを知ることも、大いに勇気づけられますね。

どこでも見かける野生のキノコ。きれいな色だけど毒キノコ、フィンランド

TOPIC 15

成功とは自分の仕事を愛すること

成功は、一体、誰がどうやって定義するのでしょうか。以前、一大財産を手にした、それも私が夢にも思わないほどの巨額の富を得た実業家の友人と話していた時のことです。彼は、頭の切れる働き者で、華々しい地位を勝ち取り、自分の健康や身体もちゃんとケアしている尊敬すべき人です。彼はビジネスワールド、私は文化分野と、お互いの得意な領域が異なっていたので、仕事上の問題や難しい案件に直面した時には、相談し助け合っていました。

その彼が言うには、彼の生活は仕事と自由時間で成り立っているが、その自由時間とは、睡眠に費やす数時間だけだと言うのです。「あなたはエネルギーをどこから得ているの?」と尋ねられ、当惑してしまったこともありましたし、自分の仕事に対するモチベーションをどう保つのかと聞かれ、さらにワクワクドキドキさせられることはもうほとんど無いんだと告白された時には心底驚きました。彼は確かに何百万ユーロも儲けたかもしれませんが、それを続けていく気力がもう失せかけていたのです。自由時間は睡眠の間だけ、仕事の成果に無関心になってきたのは、彼にとって冗談でも何でもなく、かなり深刻な話でした。申し分のないファミリー、カッコ良い車、大きな家、機嫌の悪い猫、夏に過ごす島、もちろん莫大なお金、みんなが憧れる社会的地位……彼は全てを持っています。しかし、私の目から見ると、私の周りにいる人の中で、たぶん一番不幸かもしれません。だって、感情、情熱、愛情を十分に感じる余裕が無いのですから。孤独です。

成功するとは、お金でも立派な地位を得ることでもありません。自分が何かを誰かを心から愛することができることだと思います。

また、成功は努力無しに手に入ることでもありません。成功とは、自分がしていることを愛すること、そしてそれを学ぶこととも言えます。もちろん、何を仕事にするのかは関係なく、仕事に上下もありません。

さらに踏み込んで言えば、成功とはケアすることです。他者の声に耳を傾け、助け合う。他者が必要としている時にはそこに寄り添う。愛すること、自分の信じる価値に沿って生きること。夢を持ち、大志を抱くこと。

私は簡単にインスパイアされる方ですが、他人をインスパイアすることも大好きです。でもそのためには、その前に、自分との折り合いをちゃんとつけておくことが大切だと思っています。

誰から言われたのでもなく、お金のためだけでもなく、心から好きなことを仕事にしている人は本当にハッピーな人だと思います。そういうハッピーな人がいるコミュニティは、ハッピー。そういうコミュニティがたくさんある地域はハッピー。みんな繋がっていますよね。しかし、それは、詰まるところ、一人一人の生き方から始まるのですよね。

フィンランドの最北端、ラップランドの夜空を彩るオーロラ

©Visit Finland / photo：Pertti Turunen

photo: : Susanna Pettersson

CHAPTER

4

フィンランドと日本、共通点も違いもある

TOPIC 01

フィンランドも日本も辺境に位置している

フィンランドには美しい自然があり、新鮮な空気に満ち、技術革新に熱心に取り組み、教育を大切にする国です。国民性は、どちらかというと、おしゃべりでなく無口、怠け者でなく勤勉、疑わしいことに手を出さずに正直。これは全てのフィンランド人に当てはまる訳ではありませんが、世界のいろんな国を旅して、イギリスやスウェーデンで働いた経験がある私の目から見ても、何かしらの真実を言い当てていると思います。

フィンランドと日本は、どこか似ているところがありますね。お互いに惹かれ合う何かがある気がします。フィンランドは、北欧の中でも他の国と言葉が大きく違っていますし、日本はアジアの端に位置する島国です。辺境と感じるのは二つの国に共通していることかもしれません。

フィンランドはスウェーデンとロシアの間に位置しています。どちらの国にも、フィンランドは支配されていた時期がありました。1809年から1917年まではロシア、それ以前はスウェーデンでした。その名残は現在のフィンランドの言葉や文化の特徴にも表れています。スウェーデンと同じ歌や聖歌を歌い、料理は東と西の両方の伝統を受け継いでいます。代表的な例として、ミートボールやニシンやザリガニ料理（スウェーデンではkräftor）はスウェーデン、またブリーニと呼ばれる小さなパンケーキは、サワークリーム、玉ねぎ、魚の卵と一緒に食べますが、これはロシアの伝統を受け継いでいます。

フィンランドはロシアとの国境線が長く続く東側だけでなく、ノルウェーとスウェーデンとも国境を分け、その地域はラップランドと呼ばれ、サーミ人が住んでいます。このような地政学的な要素は、サーミ人の豊かな伝統、言語、文化に大きな影響を与えています。

ラップランドといえば、オーロラ、そしてサンタクロースの住んでいるコルヴァトゥントゥリ山があるといわれているところですね。サーミ人の文化は近年ますます注目され、北海道にルーツを持つアイヌ文化との比較研究もされています。

私たちは森と湖の風景をこよなく愛していますが、外国から訪れる人は違った感想を持つ人もあるようです。以前、イギリスからの知人を、ヘルシンキから車で3、4時間の小さな町マンッタにあるセルラキュウス美術館に案内したことがあります。1時間ほど車で走った頃に、彼女の口から出てきたのは、「この国には道と森以外に何かあるの？」でした。

TOPIC 02

日本は富士山、フィンランドはコリ

富士山は日本人にとって特別な山です。新幹線で通る度に、今日は富士山が見えるかな？ と思いますし、きれいな富士山が見えると「これは幸先良し、ラッキー」と嬉しくなります。飛行機から夕暮れの富士山を見た時は、その凛とした美しさにため息をついたほどです。富士山は日本人の心を一つにする象徴的なシンボルだと思います。

フィンランドで富士山のような役割を果たしているところといえば、コリ国立公園ですね。ロシア国境にほど近い東フィンランドにあります。その展望台からは、ピエリネン湖に浮かぶ島々が見えます。まさにフィンランドを代表する絶景が広がります。コリも富士山も、自国への愛着や誇り、特別な思いを呼び覚ます場所ですね。何世代にもわたって人々を魅了し、畏怖の念を抱かせ続けている場所です。

だから人々は風光明媚というだけでなく特別な思いを持って訪れたくなるのですね。

19世紀の初め1845年から52年にかけて「フィンランド・スケッチ」という本が出版されました。南から北までのフィンランドの最も特徴的な風景がイラストで描かれています。自然の不思議さだけでなく、当時の需要に応えて、地方にある城や大邸宅周辺も紹介されています。そこには、夏の太陽の沈まない白夜、一晩中さえずる小鳥の声などが美しく描写され、それを体験しようと人々は北にある低い山を目指して、蚊に悩まされることも厭わずに道なき道を進んでいきました。

©Visit Finland / photo:Julia Kivelä

コリ国立公園、フィンランド

同じような役割を果たしたものに、北斎の「富嶽三十六景」があります。風光明媚な場所を描いて、その体験を他の人々と共有しようとした試みです。当時、急速に発達した木版刷りを使って、大量生産が可能になったことも普及に広く貢献しました。そして、北斎の木版画は、日本国内だけでなく19世紀後半のパリで勉強していた北欧の芸術家たちも大いに魅了しましたね。

TOPIC 03

フィンランド人は愛想笑いをしない

笑いは自分が育った文化にも深く根ざしていますね。一般的にはフィンランド人は開けっぴろげではなく、真面目であることを好むといわれています。「笑い過ぎるとろくなことは無い」ということわざもあるほどです。要するに、笑ってばかりいると終いには泣くことになるという意味です。でも、笑う門には福来たる。仲良く一緒に笑える瞬間は最高です。

フィンランドとの出会いはもう30年以上になりますが、最初の印象は「愛想がない人たちだな〜」と思いました。アイコンタクトを避ける人も多く、特に、フィンランドの男性に対してそう感じました。だから、自分の言っていることをきちんと受け止めてもらえているのかどうかの判断が難しかったです。

また、スウェーデンと仕事を始めた時に、公の文書は全て公開が前提。メールのやり取りも含めて、ジャーナリストの人たちから要請されれば全てオープンにしなければならないと聞いて、メールを書くのにも随分と緊張したことを思い出します。物事の決断のやり方もフィンランドとスウェーデンではかなり異なっていて、私の感じでは、スウェーデンでは、かかわっている人たちのコンセンサスを取るまでに随分と時間がかかりますが、一度決まるとその後の流れがスムーズのように思います。そして一度決定されたことを厳格に守る傾向があるようです。その点フィンランドは、良い意味でちょっと曖昧な感じがします。もちろん、あくまでも私の印象ですが。

散歩中の犬のジティとスサンナのご主人

TOPIC 04

国の歴史によってつくられた負けない力

フィンランド人は、不屈の精神を持っているといわれています。容易く諦めない精神は、フィンランド語で「シス」と呼ばれています。決断力と勇気と我慢強さが混ぜ合わさった言葉です。それにはいろいろな背景がありますが、まずは国の規模。人口は、5.5百万人ほどですから東京の人口の半分以下です。フィンランドは自由を求めて闘う国といわれていますが、歴史的に、フィンランドは国として壊されてはまた再建されることを何度も繰り返してきました。この歴史が、現在も、フィンランド人は約束を守る、期限を守るといわれていることに繋がっていると思います。

私の友人には、おじいさん、おばあさんの時代に、今はロシアに割譲されているカレリア地方から逃げ延びて来たという人が何人もいます。取るものも持たずに逃げ出すしかなかった辛い経験を、ずっと聞かされて育ったそうです。おばあさんが死ぬ間際までに「自分のふるさと、カレリアに帰りたい」と言っていたと話してくれた人もいます。

調査研究によると、大きな災難から回復するには、何世代もかかるといわれています。フィンランドは第一次世界大戦、第二次世界大戦に巻き込まれ、何事も当たり前だと思ってはいけないと、前の世代だけでなく私の世代も厳しく言われて育ちました。戦争は、家や家畜、畑や森や土地だけでなく、たくさんの家族も奪いました。その度に、人々の生活はゼロから再び立ち上げなければならなかったのです。フィンランドのこの体験と記憶は、次に続く世代にしっかり刻まれ、今も受け継がれています。

フィンランドを代表する画家たちも、自然を題材にしながらも「シス」の精神を表している作品が多くありますね。アクセリ・ガレン-カレラ、ペッカ・ハロネンやエーロ・ヤルネフェルト、ヴァイノ・ブロムシュテットなどが素晴らしい絵画を描いています。

©Visit Finland / photo: Ants Vahter

TOPIC 05

デザイン志向はフィンランド人のDNAに組み込まれている

デザイン志向は、フィンランド人のDNAに組み込まれていると私は思っています。それは、日々使うものを素材も含めて自分たちで工夫して作る昔からの姿勢と関係しているように思えます。そして、家具など大きなものを買う時は一生使えるものを買いますね。

大きなものを買うとき、デザイン性が高くタイムレスなものを選ぶという姿勢は、私も小さい頃から教えられました。祖父母がアイノとアルヴァ・アアルト等によって1935年に設立されアルテック社から買った30年代、40年代の最初のモダン家具を私は譲り受けて、今も大切に使っています。何代かの間に傷み修繕されながら大事にされてきた家具を今度は私が引き継いで、次の娘たちの世代に渡していきたいと願っています。

スウェーデンのガラス作家、カリーナ・セス-アンダーソンの作品

もののの持つ物語、数々の出来事にあや取られた記憶を大切にする姿勢は、日本の「わびさび」にも通じていますね。

そうですね。もの自体が物語を持っているという捉え方には私も共感します。同時に、それぞれの国のデザインや建築の歴史を知ることも重要だと思います。例えば、フィンランドデザインはモダニズムの典型として言及されますが、それだけでもないのです。19世紀末のモダニズム到来の前、フィンランドを支配していたスタイルは、有機的なフォルムで自然志向のナショナル・ロマンティシズムでした。

ナショナル・ロマンティシズム当時のユーゲント・シュティールと呼ばれる建物はヘルシンキ市内でまだまだたくさん残っていますね。市内を散歩するときの楽しみの一つです。

新しいモダニズム時代が始まると、装飾志向のフォルムは時代遅れとされていきます。フォルムより機能重視となり、装飾は悪とされたのです。それは、オーストラリアの建築家であり思想家であったアドルフ・ロース(1908)の「装飾は罪悪である」との有名な言葉にも象徴されています。しかし、時代の変遷を経て、新しい世代はもっと装飾的なスタイルを再び好むようになるのかもしれません。

　私は、フィンランドやスウェーデンのデザインが大好きなので、オークションやフリーマーケット、骨董屋や中古品ショップから目をそらさずに、掘り出し物を見つけて楽しんでいます。私のお気に入りは、クラシックではオイヴァ・トイッカの瓶、スティグ・リンドベリの「レプティル」シリーズの花瓶、ヘイディ・ブロムシュテットの陶器など、今ではなかなか見つけることのできないものばかりです。現代のものでは、カリーナ・セス-アンダーソンのマリメッコから売り出された花瓶が好きです。

TOPIC 06

他人の年収を簡単に知ることができる

フィンランドの個人情報のオープンさは、日本人である私にはちょっと信じられない部分があります。日本は2005年に個人情報保護法が制定されて以来、個人データの取り扱いはますます厳しくなっていますから。

フィンランドだけでなく北欧の国では、一般的に他人の個人情報を簡単に調べられます。例えば、私をグーグルで検索すれば、あるいは友だちでも近所の人でも特定の個人を検索すれば、職業、住所、電話番号､家族構成などが簡単に分かります。誰でも税務署に電話して、一般市民の年収を知ることも可能です。

聞けば聞くほど、驚きです。

また、大臣たちは、投資状況、持ち株や配当金も含めて財産を全て報告する義務があります。

それは、日本も同じです。

年収に応じて、交通違反の罰金の額も違います。年収が高いと罰金も高くなるわけです。

えーっ、これも日本では信じられないです。フィンランド人にとってオープンとは何かがよく分かる例ですね。それにしても、国によって、このような違いがあることを知るのは面白いですね。違いがあることを知ると、もっと知りたくなります。

透明性は会社経営にも当てはまります。企業に対して、同じ仕事に対しては同じ額を払う、フェアで明確な給料システムを取ることが要求されています。会社側だけでなく、労働組合の幹部もきちんと実施されているかを監視します。そして、どの会社や組織にも、雇用主と従業員の代表者からなるワーキンググループがあり、活動プラン、予算、年収などの話し合いが行われています。

©Visit Finland / photo：Ants Vahter

TOPIC 07

手厚いフィンランドの健康システム

病院の記憶は、5歳まで遡ります。盲腸炎になった時、すぐに病院に連れて行ってくれた母と社会保険システムのお陰で助かりました。

フィンランドは税金が高く、そのお陰で公的な健康保険システムが充実していると聞いていますが、もうすこし具体的に教えてください。

ご指摘の通り、フィンランドやスウェーデンは税金がかなり高いのですが、公的な健康ケアシステムはとても上手く機能しています。憲法で国民が高い水準の公的な健康ケアを受けられることは保障されています。重症な場合、例えば、子供の心臓病、ひどい火傷などの場合は、一流の病院で手当てを受けることができます。治療費もわずかです。公的な健康保険の他に、自由診療の専門家もたくさんいますし、リハビリをサポートするセンターも各種あります。

私の最初の入院の記憶は、盲腸炎の5歳の時ですが、それから50年以上も経って、最近、再び緊急手術とメディカル・ケアに救われました。

ネウボラと呼ばれる育児や福祉システムもありますよね。赤ちゃんが生まれる前からサポートが始まり、データがしっかり管理され、学校に行く年齢になると、今度は学校がそれを受けて追跡して続けていく仕組みです。ネウボラは、お母さんだけでなく、お父さんも一緒に受けられるシステムで、それがフィンランドではすっかり定着していますね。日本でも参考にして同じように取り組む自治体も出てきました。

春先の庭の木、若葉が眩しい、ヘルシンキ

TOPIC 08

コーヒーは
コミュニケーションの潤滑油

子供の頃、大人が「コーヒー」を美味しそうに飲んでいるのが不思議でした。飲んでいるだけでなく、飲みながら、子供から見たらまるでつまんない話を延々としているように見えました。私の母の母、ムンミと私が呼んでいる祖母は、コーヒーを淹れるのがとても上手でした。確か４歳の時だったと思いますが、祖母の淹れるコーヒーを飲みたいと言ったら、ほんのひと匙にクリームをいっぱい入れて飲ませてくれました。

フィンランド人は実にコーヒーをよく飲みますね。ヘルシンキ空港からヘルシンキ市内に入りコーヒーの漂う道を通ると、「ああ、ヘルシンキに戻って来た」と思います。フィンランドで最大手のパウリグ社のコーヒー工場です。統計によると一日に4.4杯飲むそうで、それは1年に一人当たり9.3キロ飲む計算になります。他の北欧の国では平均6～7キロだそうですし、日本は3.5キロです。

フィンランドでは、一日中、コーヒーを飲んでいます。会議の時には必ず出てきますし、コーヒーのない会議もありえないです。ディナーの時のハイライトもコーヒー。労働時間によっても、コーヒーブレイクの回数が決まっています。

スウェーデンでも同じですね。ストックホルムにも、つい入りたくなる素敵なカフェがたくさんあります。いつも人がいっぱい。

「フィーカ」と呼ばれている国民的な伝統です。よくみんなでコーヒーを飲みに出かけます。お気に入りのコーヒーハウスは、自

分の居間の延長みたいな感覚で人と会い、会話を楽しむところです。
ヘルシンキで私がよく行くのは、セナート・スクエアにあるカフェ・エンゲル、もう30年も通っています。アカデミア書店の２階のカフェ・アアルトもお気に入りです。ストックホルムだと、スヴェンスク・テン(1924年創業)、とても有名で人気のティールームです。誰を連れて行っても気に入ってもらえること間違いなしです。

ある日のスサンナのFIKA（フィーカ）タイム

TOPIC 09

北欧の子供たちは、ムーミンとともに成長する

フィンランドやスウェーデンの子供たちはトーベ・ヤンソンのムーミンとともに成長すると言っても言い過ぎではありません。ヤンソンはムーミンの原型となる小さなトロールのイメージを描き始め、それが大人気となり、フィンランドだけでなく、イギリスではムーミンのコミックスがイブニング・ニュース紙に1954年から1975年にわたって掲載されました。それからはあっという間に世界中で人気を得、40カ国で120紙、総計で毎日2千万人の読者を持つこととなりました。

コミックスだけでなく、ムーミンはアニメもシリーズ化され、さらに広まっていきました。アニメーション化された最初の国は日本だそうです。テーマパークのムーミンバレーパークは、フィンランドだけでなく、日本、韓国でもオープンしています。

トーベ・ヤンソンの生涯と作品は、多くの展覧会、出版、映画にもなっていますね。70年代の初めにムーミンを読んで、ムーミン谷の仲間たちが展開する全く新しい世界に即座に引き込まれてしまいました。特に、恥ずかしがり屋のクニットや一言も言葉を発しない灰色の怖いモランが印象的でした。ちょうど、自分の読む本の最初のページに自分の名前を書くことができるようになった頃で、嬉しくて得意な気持ちになったことも思い出します。

私も最初の頃は、ミーやスナフキンが好きでしたが、最近は妙にモランに惹かれています。

©Visit Finland / photo:Laura Vanzo

ムーミン美術館、タンペレ・フィンランド

うちの子供たちは、ロンドンに住んでいた時にムーミンのビデオを見て、独特のフィンランド語のムーミンアクセントを真似していました。ムーミンの話を読むと、肌寒い秋の日に毛布で暖かく包み込まれるような気がしてきます。そして、以下のような文章に出会うと、ついつい微笑んでしまいます。

- お化けはお日さまの下ではバカみたいに見える
- もうすぐクリスマスがやって来るよ。でも、クリスマスさんってだあれ?
- さて困った。ジャムがなくなっちゃったよ。

日本には「ゲゲゲの鬼太郎」という水木しげるの大人気の漫画があります。お化け一家を中心とした話なんですが、漫画だけでなくアニメもあり、どこかムーミン一家と似ている部分があると思っています。

TOPIC 10

スサンナが日本で驚いたこと

最初に日本を訪れたのは2014年でした。それ以来、何回も日本に行っています。人々の穏やかさ、効率が良いシステムや見事に調和のとれた文化に惹かれています。ものの精度の高さ、お互いへの尊敬や人々の志が高いことも印象的です。現代アートとデザインの対話に見られる豊かな時代の流れには感服しています。ですから、日本と北欧のより深い文化理解に貢献するプロジェクトを展開していくことに、私自身生きがいを感じています。

パンデミック中、マスクを着用した銀座三越のライオン

日本に行って、びっくりしたことって何ですか？

初めて東京を訪れたとき、スーパーでバナナを買おうと思ったら、バナナが一本一本、丁寧にラップに包まれていたのには驚いてしまいました。写真に撮ってすぐに家族に送りました。それほど、珍しいと思ったからです。

ちょっと過剰包装ですよね。フィンランドやスウェーデンのスーパーでは、昔の日本の八百屋さんのように、果物も野菜も棚に並べてあって、その中から必要なだけ取る量り売りですから。

それから、タクシーの自動ドア。ニューヨークでもロンドンでもパリでも、どこに行っても、必ず自分でドアの開け閉めをするのに慣れていましたから、最初は戸惑いました。それにしても、日本のタクシーは、どのタクシーも料金が同じなのが安心ですね。

ヘルシンキやストックホルムでは、タクシーによっては、信じられない額を請求されますから、乗る前に注意が必要です。私も知らなくて、ストックホルムで大変な目に遭ったことがあります。

TOPIC 11

ヒロコがフィンランドを好きな理由

ヒロコはもう何回くらいフィンランドを訪れていますか？

最初にフィンランドに行ったのは、1990年代の最初で、もう数え切れないほど行っています。全く行かなかった年もありますが、年に3、4回行っていた年もあるので、百回とは言いませんが、それに近いくらいは行っています。

仕事がそれだけ続いているというのは理解できますが、一体何に惹かれたのですか？

やはり出会った人々ですね。地に足がついている人たち、嘘がない、背伸びしないで自分の身の丈に合った暮らしをしている人たち、静寂を愛する人たち、そしてユーモアがあるところでしょうか。一緒にいて、仕事をしていて居心地よく感じます。

　そして、どういう訳か、フィンランドにいると自分との対話ができる余裕が出てくるのです。「人は悩みがあると北に向かう」と言った人がいましたが、ちょっと立ち止まって自分のことを振り返ってみるのに、私にとってフィンランドはちょうど良い場所なのです。たぶん、自然との距離感が近いことも関係しているのかもしれません。もちろん、冬の寒さ、特に寒いだけでなく風が強くて雪でビシャビシャの道を歩いて帰る時は泣きたくなってしまいますし、冬の期間、空が明るくなるのが遅い上に暮れるのも早く、長い夜を過ごすのに手持ち無沙汰にもなりますが……。

夏は白夜ですが、逆に冬は日照時間が短くなりますね。ラップランドに近づくにつれて、極夜と呼ばれる太陽が全く出ない時期があるところもあります。

フィンランドは人口が6百万人足らずで、国としての規模もちょうど良い感じがします。社会や政治の問題を自分ごととして考えられる規模ですし、それぞれの専門分野内ではお互いのことを知っている距離感があります。もちろん、狭い社会ゆえに嫉妬深いところや妙な競争心を持つ人もいますが。

サンタクロースのお手伝いの小人のトントゥにも興味を持っていますよね。

はい、リーサ・カッリオと一緒にサンタクロースのお手伝い、トントゥの絵本を書きました。サンタクロースは、誰かを幸せにしたい、喜ばせたいという精神の象徴的な存在です。誰もが大好きなスーパースター。ラップランドの遠い北にあるコルヴァトゥントゥリ山にトントゥと一緒に住み、クリスマスの晩に世界中の子供たちにプレゼントを届けるために一年中準備をしているといわれています。トントゥたちの仕事は、世界中から届く子供たちの手紙を仕分けしたり、プレゼントを作ったり、トナカイの世話をしたりといろんな役割があって、毎日大忙し。しかし、日本ではあまり知られていないので、トントゥたちのことをもっと知ってほしいと思って絵本を作りました。いつか自分もトントゥになってサンタクロースを支えていくことができればとも密かに願っていますし、トントゥのことをもっと知りたいのでラップランドで暮らしてみたいとも夢見ています。

もちろん私もトントゥになってご一緒しますよ。

TOPIC 12

地震は未知なるもの

フィンランドは頑丈な岩の上にありますから、地面が揺れることを経験したことはありません。私にとって、地震は未知のエリアです。いくら建築技術が発達して備えてあるといっても、地面が生きているように揺れる場所に住む心持ちはどんなものだろうと謎が深まります。想像力を逞しくして、地下に生き物が住んでいると想像すると、今度はまるでおとぎの国の話のように感じてしまいます。地震だけでなく、台風と豪雨が一瞬にして村を押し流してしまうことが起きることも驚きです。それに比べ、北欧の国々の気候はかなり安定していて、自然災害によって家屋が崩壊するなど起きません。予測することがより可能です。

日本は地震や台風、津波や洪水と自然災害が多いので、地面が揺れる、強風で家の屋根が飛んでしまう、川が氾濫する、津波や洪水で家が流されることが起こりえることは、この国に住む者は誰でも体験上知っています。自然からの恩恵を受けて暮らしていますが、時として自然が刃向かってくることも知っています。そこには何かしらの諦観がありますね。

子供の頃に、台風に備えて、父が先頭に立って家の窓や壁の補強をしていました。そして、近所の川が氾濫した時のことを想定して、避難の時には横並びでなく、父が「先頭に立つから、一人ずつその後ろに続くように」と予行演習をしたこともありました。

幸いなことに、私自身は今までそれほどひどい災害には遭っていませんが、台風が過ぎるのを待って不安な気持ちで夜を過ごしたことは何度もあります。台風が去ったあくる日、まるで台風が空の掃除をしてくれたように青空が広がるのを見るのは、安堵感とともにとても清々しいものです。

ヴィッリンキ島、ヘルシンキ

©Visit Finland / photo：Niko Laurila

CHAPTER

5

先行きが不透明で単純な答えが無い時代を生きる

TOPIC 01

改めて気づいた美術館の役割

コロナ禍が世界に与えた影響は計り知れないほど大きいです。最初にコロナのニュースが入ってきた時に、私はストックホルム、家族はフィンランドにいました。すぐに収束して元通りの生活に戻れると思っていましたが、そうはいかず、何度も対策を講じて向き合わなくてはならなくなってしまいました。特に、美術館を休館する決定をしなければならなかった時は辛かったです。美術館には社会的に大きな存在感がありますから、事態が、そこまでする必要があるほど深刻であるというシグナルを人々に与えてしまいかねないことを危惧しました。

美術館が休館してしまった時、改めて美術館の役割を強く感じました。作品の前に立ち、静かにその作品と向き合う時間がどれだけ自分の生活の中で大きな比重を占めているのかを再認識したのです。作品を鑑賞しながら、自分の内面に起きる多様な喜怒哀楽の感情に気づくこともありますし、その美しさにただただ心を奪われることもあります。新しい発見をすることもありますが、昔の記憶が呼び覚まされて、懐かしさに心を揺さぶられたりもします。時には日常から離れて遠くに旅をしたように感じることもあります。

それが美術館の持つ使命ですね。美術館をもっと面白くワクワクさせて、一人でも多くの人にもっと足繁く美術館に来てもらいたい、それが私のライフワークです。そのためにはどうすれば良いのかと、いつもスタッフと一緒に考えています。目標をできるだけ高く掲げてみんなをインスパイヤしながら進んでいきたいと願い、そのためには、みんなが気軽に話に来てくれるリーダーにならなければならないと思っています。

ヴァチカン美術館、ローマ

TOPIC 02

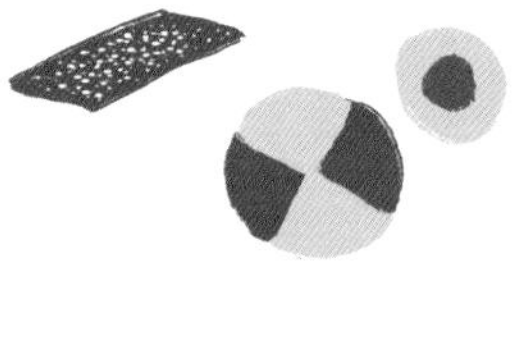

飛躍的に進んだ
ハイブリットな働き方

2020年から22年にかけて仕事の仕方に大きな変化が起きました。これは、パンデミックで起きた大きな変化です。美術館のスタッフもほぼ在宅勤務に入り、デジタルの仕事環境があっという間に整えられていきました。

デジタルを利用してコミュニケートすることを、誰もが必然的に学ばなければならない状況となりましたね。

初めの頃はなかなか馴染めなくて、私自身も大いに慌ててしまった経験があります。スウェーデンの文化大臣が招聘したオンライン会議で3分間のスピーチを依頼されたのですが、口を開こうとした途端にネットワークがいきなり途切れてしまったのです。自分の持ち時間がなくなってしまうのを恐れ、必死でコンピューターを再起動させましたがダメで焦りまくりました。最後には携帯電話から繋ぎ、文化の重要性について話すことができて事なきを得ましたが、あの時は本当にヒヤヒヤしました。

最初の頃は、みんな随分と混乱しましたね。今は少し慣れたとはいえ、Wi-Fiが上手く繋がらなかったり、接続が安定しない時は本当に厄介です。

この急速なデジタル化によって、仕事の仕方に新しい展開がもたらされたことは確かです。パンデミック前には実際に会って話す以外に考えられなかったのですが、今はオンラインでもプロジェクトを企画運営できるようになりました。働き方のハイブリッドと呼ば

れていますが、オフィスに出かけるのか自宅勤務にするのかの選択ができるようになったことは大きな進歩です。

国際的な展覧会の運営にも、デジタル化が進みました。例えば、作品に同伴するクーリエや作品のコンディションチェックをするコンサヴァターが来日できなかった時期、デジタルを駆使して遠隔作業で作業を進めていけるような工夫が求められました。

しかし、オンライン会議が普通になっていくと、今度は、実際に会って仕事をすることがいかに楽しかったかと改めて気づきますね。実際に会って話をしたり、ちょっとした話の合間や想像もしなかった場所で斬新的なアイデアは生まれるものです。車を運転中だったり、電車に隣同士座っている時だったり、空港で待っている時間だったり、夕食を食べながら他愛もないことを話していたりする時などです。もちろん言うまでもなく、私たちにとっては実際にアートを見ている時にこそアイデアが一番閃くのですが。

オンライン会議の進行にも試行錯誤状態が続いていますね。このところスサンナと同僚の皆さんとオンラインでの打ち合わせが多いのですが、その場でのスサンナのリーダーシップとスタッフのサポートには学ぶことがたくさんあります。フォローが的確なので、関係者それぞれの役割や次のステップが具体的になります。物事が具体的に展開していくので、参加者の満足度が高いです。また、自分の意見を述べる前に、関係者一人一人の話をじっくり聞いて、まずは受け止める姿勢がとても勉強になります。

TOPIC 03

日々の些細なことに幸せを感じる

今回のことで、日々の暮らしに目を向ける良い機会にもなりましたね。日常の些細なことがいかに自分にとって大切であるかが分かりました。今まで見過ごして来た日々の何でもない小さなこと。例えば、職場のコーヒーメーカーのそばで交わすちょっとしたおしゃべり、仲間と一緒に食べるランチ、週末に出かける劇場やコンサートなどです。もちろん休暇中の旅行も。私の仕事は海外との仕事が大きな比重を占めているので、海外に行けない時期は大きな打撃でした。

確かに、自分たちの暮らしのエッセンシャルは何だろうと認識せざるを得ませんでしたね。生活に不可欠なもの、学校や保育園は言うまでもありませんが、食料品店、コンビニ、鉄道、ガソリンスタンド、病院、美容院、クリーニング屋など、いつも開いていると思っていたものが閉まってしまったらどうなるのか、定期的に必ずやって来るゴミの収集トラックが来なくなったらどうなるのか、美術館、映画館に行けないとどれだけストレスをもたらすのか、よく分かりましたね。

そうですね、いろんな人たちの仕事のお陰で私たちは安心して暮らしているってことが、改めて分かりました。

大都市のスモッグが一時解消されて、私たちの行動が変われば環境も変わることも証明されましたね。地球は人間だけのものではないことが再認識できました。

春先の庭、野生のスミレ、ヘルシンキ

TOPIC 04

どんな時でも、新しい扉は開く

物事は計画通りには進まないことは、誰もがみんなよく知っています。私の人生の中にも、どうして良いか分からずただひたすら困惑してしまったことや、悲しみのどん底でもがいていたことが何度もあります。でも、どんな時でも必ず新しい扉が開くのです。ただその扉の先に何があるのか知らないだけなのです。そうであることを、今の私には断言できます。

ひどく傷つき、落ち込んだ状態になったとしても、「これをやり過ごせば、あの時があったから今の幸せがあると思える日がいつか来るかもしれない」、「人間万事塞翁が馬と言うではないか」と思う瞬間が訪れると、それこそ新しい扉が開いたと言えますね。

ある時期、大きな災難が続いて降りかかってきて、打ちひしがれたことがありましたが、ふと、「今、自分はもう下がないほどの谷底にいる。もうこれ以上、下に落ちることはないだろう」と思う瞬間があり、それがきっかけで前に進んでいくことができました。

誰にでも、仕事や日々の生活の中で、物事がどうも上手くいっていないと感じ、気持ちが沈んでしまうことも時々ありますね。私は他の人が下した決定や批判がフェアじゃないと思う時に、そういう状態に陥ります。自分が、フェアネス、すなわち公正であることを価値観の一つに置いているから余計にそう思うのかもしれません。

私にとっては、信頼していた人たちから裏切られたと思う時が辛いですね。幸いなことに、今までにそんなに多くは経験していませんが、最近ひどいケースに出会いました。相手方を責めたり怒ったりする前に、何よりも相手を信頼した自分のバカさ加減に恥じ入ってしまいました。暗くて重い雲に覆われてしまっているような

©Visit Finland / photo:Daniel Eriksson (Visit Åland)

気持ちが続いていましたが、ある時、「自分のバカさ加減を含めて失敗を隠さず、全て洗いざらいオープンに話そう」と思い立ちました。自分の恥部をさらけ出すには勇気がいりましたが、自分を鼓舞しながら話していくと、自分の置かれている状況を少しずつ客観視することができるようになりました。話を聞いてくれた人の対応も誠にプロフェッショナルで、そのプロセスを踏むことによって、解決方法を見出したというよりも、自分の心持ちに踏ん切りがつきました。もう前を向くしかないと開き直ったのです。あの時、自分の中だけで留めておいたら、まだまだ今も堂々巡りしていたかもしれません。吐き出して救われました。

自分をハッピーにするトリック

Susanna

新しいことに挑戦したり学んだりすることとモチベーションは深く結びついています。私自身、心の底から面白いと思うことに打ち込めたことはとても幸運なことでした。

もちろん、そんな私にも何も上手くいかないと思う日はあります。そんな時には、自分を励ますトリックを使います。例えば、仕事に行く道中に、自分がハッピーになれることを一生懸命探すこと。大したことじゃありません、青い空から届く日の光、面白い形をした雲、美術館の前の海で泳いでいる白鳥の姿などです。意識して目を向けていると、知らず知らずのうちに心が和んでいきます。

Hiroko

楽しいことを具体的に計画するのも気持ちのアップに繋がりますね。例えば、行きたいと思う旅の日程を、いつかではなく具体的に組んでスケジュール表に書き込んでおく。そして、それが無理と分かったら、その時点でまた次の可能な日を見つけていく。楽しいことを計画して近い将来すぐに実現する形にしておくと、それが日々の励みになっていくことはよくあります。自分へのご褒美はとても大切です。

Susanna

また、落ち込んだ時は家族や友だちに会って、良いエネルギーをいっぱいもらう、オープンに何でも話して一緒に笑う。それがどんな薬にも増してよく効きます。

Hiroko

笑いの効き目は大きいですね。笑うと、凝り固まっていた身体が解きほぐされて、いつの間にか心が軽くなっています。そして、眠ること。私は落ち込んだら、とにかくまず寝ることにしています。もう心配しても仕方がない、よく寝て、また明日考えようと自分に言い聞かせて必死で寝ます。

列車の中で、スウェーデンの伝統的なキャンディ

TOPIC 06

自分を感謝とともに抱きしめる

何年も前に、リーダーシップワークショップに参加した時、人生の中で一番重要だと思っている人を五人リストアップしなさいと言われました。言われた通りに、私は、夫、娘たち、母、友だち、亡くなった祖母と書きました。みんなが書き終えた頃、講師の先生から、自分の名前をリストに書いた人はいますかと尋ねられましたが、誰もいませんでした。すると、その先生から、「一番大切にして感謝を込めて愛さなければならないのは自分です。それができると他人に対しても同じようにすることができます」とアドバイスされたのです。

「自分が幸せでないと相手を幸せにすることはできない」のですよね。このことは、子供たちが小さかった時期の私のおまじないフレーズでした。子育てと自分のやりたいことが相反する時に、私はついつい自分がしたいことを優先させてしまうことがありました。母親としての罪悪感が生まれる度に、この文句を魔法のフレーズのように唱えていました。

つまるところ、自分が身体だけでなく心も、また仕事の場や社会においても、健康であることが第一ということです。ウェルビーイング。そのためには、睡眠、仕事、楽しみに適切な時間を割き、バランスが取れていることが大切です。私はよく働きますが、同時に、自分の身体と心にしっかり栄養を与えないと何事も達成できないとも自分に言い聞かせています。

満開のシャクナゲ、ヘルシンキ

TOPIC 07

幸せは独り占めせずに分け合う

小さい頃、おもちゃを独り占めしないで兄弟姉妹や友だちと仲良く一緒に遊ぶようにと、親や周りの大人に言われて育ちましたね。また、食卓に並べられた食べ物が、特に大好きなアイスクリームが自分の番が回って来る前に他の人がみんな取って食べてしまわないかとドキドキしたこともあることでしょう。

我が家の教えは、「取り分けた人は最初に取ってはダメ」ということでした。それで、私と弟は、アイスクリームを均等に取り分けることを学び、とても上手になりました。

©Visit Finland / photo : Visit Åland

何と素晴らしくて賢いルールなんでしょう。そうやって自然に子供たちは「分け合う精神」を学んだのですね。

「分け合う精神」を小さい頃に体験して学び、大人になってもその記憶を広く共有していくことは大きな意味を持ちます。ウクライナで戦争が始まった時、何百万人の人が涙ながらに国を後にしましたが、行き先々で、それぞれの地に住む一般の人たちが自分の家を開放して避難した人たちを一時的に受け入れました。これも同じ精神だと思います。

「分け合う」といえば、高校生の時に寮生活を送りましたが、その時のおやつの分け合いも私にとっては懐かしい思い出です。食べ盛りで甘いもの好きの高校生にとってチョコレート一枚が貴重で、まず手に入れた人が半分を自分に、残り半分は自分の一番仲の良い友だちに分け、次の人はもらった半分をまた次の友だちに分けと、次から次へと半分ずつ。自分のところに回って来た時はどんなに小さい欠けらであったとしても、大感激したものです。友だちと分け合って食べる美味しさは特別のものがありました。

TOPIC 08

人のものを一方的に奪ってはならない

うちのチビ犬は、テリトリー意識にとても敏感です。誰か知らない人が家の前庭や裏庭に入って来ると、威嚇して吠え続けます。近所で誰かが車のドアをバタンと閉めたり、普通と違うことが起きると、同じように吠えますが、危険では無いと分かると、すぐに大人しくなります。人間の諍いもそれと同じようなものではないかと思うのです。諍いが起きるのは、お互いのテリトリーを守る必要が出てきて、それで信頼が失われてしまう時です。

諍いが起きると、日頃抑えている憎悪や破壊といった人間の攻撃性が出てきます。それをいかに抑えて和合に持っていくのか、難しいですね。時々、絶望的になります。

人のものを一方的に奪ってはいけない、他人を侮辱したり、尊敬の念を欠くことをしてはならない、これは人としての礼節です。地政学レベルの話だけでなく、子供が公園で遊んでいる時でも、仕事の場においても、決してしてはならないことです。とてもシンプルなことで、心の中ではみんな知っていることです。しかし、実践するのがなかなか難しいことでもあります。まずは、私たち一人一人が礼節をわきまえること、それに尽きると思います。

夢物語のように聞こえるかもしれませんが、一人一人が周りの人と仲良くすれば、それがやがて世界の平和にも繋がると、私も思っています。人が集まるところには、必ずトラブルが起きます。意見の違いや気まずいことが起こります。人はそれぞれ違うのですから、当然です。しかし、大きな諍いや戦いになるのを防ぐのは、

話し合いでしかありません。何度も何度も話し合う忍耐力が試されますが、それしかないと思います。

我が家では、ケンカや言い合いをしたら、みんなで家の掃除や窓拭きをして、それが仲直りのきっかけになることがありました。体を動かすうちに、キレイになっていく様子を見て達成感を共有すると、それまで尖がっていた気持ちが収まったものです。言葉で謝るだけでなく、一緒に体を動かす作業も仲直りの良い方法だと思います。

スサンナ家の犬、ジティ

TOPIC 09

ネットワークこそ、最大の財産

人との出会い、自分とは異なった考えを知ることで人生の大きな転機や変化が生まれることがあります。もし自分の周りに、自分には無い才能を持っている人がいたらラッキー、最大の財産だと思って大切にお付き合いしましょう。

ストックホルムの夕暮れ

私の仕事は、私に無い才能を持った人たちとチームを組むことによって成り立っています。だから、そういう人たちとの出会いが私の仕事の全てと言っても良いほどです。

人とのネットワークは、あなたが何をしようがどこで働こうが一生あなたについて来ます。それがネットワーク、人脈の素晴らしさです。

私が初めて日本を訪れたのは2014年でしたが、日本で出会った素晴らしいプロフェッショナルの人たちとの関係は今も途切れることなく続いています。私が仕事の場をフィンランドのヘルシンキからスウェーデンのストックホルムに移した時も、その人脈は私とともにスウェーデン国立美術館に移ってきました。そして、そのお陰でインスピレーションに溢れた素晴らしいプロジェクトが、今、たくさんスタートしています。

驚くべきネットワークですね。私もその一員としてこれからの展開が楽しみです。

人脈は有効に使わなくてはダメです。そして、自分だけで抱え込まずに、他の人のために使うことも大切です。知らない人に会いたい時、自分の知り合いのツテを得ることはどんどんした方が良いです。遠慮や躊躇は一切不要です。もし今、若き日の自分に向かってアドバイスを送るとしたら、そのことを伝えたいです。年上の経験のある同僚と繋がることを恐れるな、興味が湧いた人にはどんどん会いに行けと。

TOPIC 10

いざというときに頼りになるご近所さん

頼りになるご近所さんに恵まれていることはありがたいことです。家族がまだヘルシンキにいて、単身でロンドンに赴任していた時、娘から電話があり、鳥が家に飛び込んで来てどうしたら良いのか分からないと言うのです。その小鳥もパニックを起こして、居間を飛び回って暴れているようでした。それで、私は仕事場から信頼している近所の人に電話をして事情を話すと、瞬く間に解決してくれました。

私も子供が小さい頃には、ご近所のみなさんに本当にお世話になりました。海外出張も多くて、留守がちの私には、日頃のちょっとした子供たちの行動をご近所さんから報告してもらえたのは、本当に助かりました。「おたくの○○ちゃんは、この間、ケンカして泣いていたわよ」とか「今度のPTAの集まりには出席した方が良いよ」とか、どんなに小さなことでも私にとっては大切な情報で、地域で子供を育ててもらっているという安心感がありました。

近所の人とは、新しいレシピにトライした時などは味見に来てもらったり、ご近所さんの持っているボートに乗ってアーキペラゴ巡りをしたこともありました。一緒に時間を過ごした記憶は懐かしく、今、そのご近所さんの一人が人生についての本を執筆中と聞き、出版された暁には、コーヒーや飲み物を片手に感想を交わすのを楽しみにしているところです。

私には91歳になる叔母がいます。叔父を亡くした後の一人暮らし歴も長く、元気に一軒家に住んでいます。この叔母の元気の

©Visit Finland / photo:Anne Saarinen (Vastavalo)

素もご近所さんに恵まれていることです。叔母自身、明るくて誰にでも分け隔てなく優しい。お料理上手でもてなし上手。ミシン仕事や手仕事が好きで、庭の夏みかんで作るマーマレードは秀逸です。庭の草花は元気に育ち、野良猫も鳥たちも毎朝やって来ては居心地良さそうにしています。「私にはお金はないけど、自分でできることをして、みなさんのお役に立ちたいと思っているの」と口癖のようにいつも言っています。こんな人がご近所さんにいれば、どれだけありがたいことでしょう。

スサンナとヒロコ、東京・駒場にある日本民藝館の玄関ホールで

photo : Akiko Osaki

photo : Akiko Osaki

CHAPTER 6

日々のビューティフル・モーメント

TOPIC 01

アートが生活の中心

私の生活はアートを中心に動いています。美は、どこにでも見つけることができます。光や影、自然や人工物にかかわらず、身近なものの中にいつでも見つけることができます。日々の生活の中に美を見つけ、それを家族と一緒に楽しみ愛でることをずっとしてきました。私が子供だった頃、浜辺で小さな貝殻や白い石を見つけては祖母に見せ、色や形の美しさを一緒に楽しんだものです。同じように、うちの子供たちが小さかった頃には、一緒に空の雲を見たり海を眺めては、その美しさに見とれたものです。こうして自然の美しさを愛でることは、ある意味、私たちの美意識の骨幹を作っていくことだと思います。

子供と過ごす日々の楽しさは、そこにありますね。道を歩きながらや電車に乗って窓の外を見ながら、「稲が黄金色に輝いているね」とか「あのお山の形は面白いね〜」とか「あの鳥さんは列を作ってどこに飛んで行くんだろう」など、思うまま感じるままを口に出して子供と一緒に楽しめることです。そのような中に美意識が育てられるというスサンナの指摘に私も同感です。美術やアートと聞くと、知識がないと教養がないと分からないと構えてしまいがちですが、実は日々の中にある美しさを発見することと一直線に繋がっています。

この何年間か、アート作品を見て得た気づきや気持ちを話し合うワークショップ形式の美術鑑賞プログラムプロジェクトに携わっています。初めて会う人でも、作品を介して会話が続き、お互いを知り合うことができることに新鮮な驚きを感じています。使われているメソッドもシンプルで、誰でも参加できるワークショップです。本物の作品でなくても、画像を使っても同じような成果が出ていますが、ワークショップの後には、なぜか本物を見に美術館に行ってみたくなるようです。面白いですね。このように、気軽にアート作品を鑑賞する流れがどんどん広まっていけば、もっとアートが身近になると思います。

浜辺で拾った石

TOPIC 02

陶芸に一番惹かれる

あなたの心に一番響くアート表現はなんですかと聞かれたら、私の答えは陶芸です。年を重ねると共に、ますます、日々の暮らしの中で使うもの、手で触れて楽しむものを慈しむようになりました。日本に行く度にヒロコが日本の素敵な陶器店を紹介してくれ、少しずつコレクションの数が増えてきました。我が家の宝物、ギリシャの古代ガラス瓶やビザンチンの粘土で作られたオイルランプのコレクションと一緒に並べて飾っていますが、素材も背景も違うのにお互いが穏やかに会話をしているような雰囲気を醸し出しています。

陶芸好きは、私たち二人に共通していることですね。

日本民藝館や大阪市立東洋陶磁美術館には、私の大好きな陶芸作品がたくさん所蔵されています。東洋陶磁美術館に行った時に、小さな瓶に出会いました。白い色、柔らかい形、金の線が繊細に施されていて、ずっと見ていたいような心持ちになりました。

16世紀の朝鮮時代に作られた「粉青粉引瓶」ですね。

ものが壊れた時に修復する技術、金粉を混ぜた漆の「金継ぎ」が使われていますね。出来た傷を隠さない、それどころか、逆にそれを良しとして愛でる。この作品を見ているうちに、「禍いに出くわすと、もっと強くなれる」と思いました。私たち人間もそうですよね。人は失敗から学び、その失敗を他人とも共有して生きるのですから。

日本民藝館にも、来日の度に一緒に行きますね。

「粉青粉引瓶」、大阪市東洋陶磁美術館美術館蔵
住友グループ寄贈（安宅コレクション）

小さな宝石のような美術館で、私の大好きな美術館の一つです。静寂さ、日用の美、いつ行ってもワクワクドキドキします。行く度ごとに、その時の体験が素晴らしい思い出として心に残ります。私だけでなく、訪れたことのある人は、きっとみんなそう思っていることでしょう。

本館の道を隔てて建つ西館も良いですよね。柳宗悦が亡くなるまで家族とともに住んでいたところで、その当時の面影がまだしっかり残っています。居心地が良いので、ついつい長居をしたくなります。柳宗悦が自ら設計して1935年に建てられたと聞きましたが、ちょうどアルヴァ・アアルトの自邸も1936年設計ですから、時代的にも、また二人の巨匠がそれぞれ理想とした住まいという点でも、どこか似ている気がします。

TOPIC 03

スウェーデンの陶磁器

ストックホルムの陶磁器生産の中心は長年にわたってグスタフスベリと呼ばれる地域でした。1825年からの歴史を持ち、伝説的で良質な陶磁器が作られる場所として高い評価を得ていました。現在、グスタフスベリ陶磁器美術館はスウェーデン国立美術館の一つとなっています。コレクションは4万５千作品にものぼり、大量生産品からユニークなアート作品まで広い範囲をカバーしています。

グスタフスベリの製陶工場は1993年に閉じたのですが、そのコレクションがそっくり寄贈されて、美術館になったと聞きました。当時の工場の雰囲気も部分的に残されている上に、歴代の著名なデザイナー、ヴィルヘルム・コーゲ、スティグ・リンドベリ、リサ・ラーソンと三代に続く作品が十分堪能出来る場所ですね。

コレクションの中で私のお気に入りは、魚の形をした水差しです。普段はミニマリスティックなデザインを好む私にしては珍しいのですが。

ヴィルヘルム・コーゲは、スウェーデンのモダニズムの父とも言われ、グスタフスベリ製陶所を牽引して活躍した人ですが、1956年に来日して各地の窯を訪ねています。日本の民藝運動とも共鳴し、濱田庄司はコーゲが来日した際に積極的に交流した一人です。また、濱田は、1929年と1952年に柳宗悦と一緒にスウェーデンを訪れています。このような二人の交流に焦点を当てた展覧会も企画されていますね。

民藝運動の主唱者である柳宗悦は、最初にスウェーデンを視察した1929年に、日本民藝館の設立のアイデアを得たと言われ

ています。コーゲは、日本で滞在中に入手した陶芸作品を帰国後に同僚や弟子たちに紹介する展覧会を開催しています。スティグ・リンドベリやリサ・ラーソンも見に行ったようです。陶芸の分野でスウェーデンと日本の交流が深かったことが分かります。

グスタフスベリは、ストックホルムからバスで小一時間のところにありますが、海辺に面した可愛らしい町です。とても雰囲気があります。日本でも人気のリサ・ラーソンの動物作品もグスタフスベリにある工房で一つ一つ手作業で丁寧に作られています。最近は、たくさんのガラスや陶芸の若手アーティストたちが集まってきていますね。夏の間は、ストックホルムからボートでも行けると聞いて、今度は夏に訪れたいと願っています。

グスタフスベリ陶磁器美術館、スウェーデン

TOPIC 04

楽しいガラスの冒険

素材に興味があるので、アーティストが初めてトライした素材や新しく挑戦した手法に注目しています。ガラスと聞くと、コップや花瓶、ガラスのオブジェなどを直ぐに思い浮かべることでしょう。フィンランドのガラスであれば、アルヴァ・アアルトの花瓶、「サヴォイ Savoy Vase（1936）」やタピオ・ヴィルカラの「杏茸 Chantarelle（1947）」、グンネル・ニューマンの代表作などです。

最近、以前にも増してガラスに惹かれています。フィンランドガラスの展覧会に二度かかわってきました。一つはフィンランドガラスを年代別に紹介したもの、もう一つはユニークピースといわれるグラスアート。デザイナーがプロダクトでなく自分の創作として取り組んだガラス作品の展覧会です。素晴らしいガラス作品は、デザイナーとガラス吹き職人との協働作業ではじめて出来上がることが分かりますし、ガラスの持つ独特の美しさと同時に、ガラスが作り出す影にも魅了されてしまいます。

ガラスは面白いですね。ガラスの素材としての決まりごとや限界を全て取っ払って、ガラス作品に挑戦したらどんな作品が出来るのだろう、そんな作家に会ってみたいと思っていたら、偶然、ラスムス・ノスブリングに出会いました。彼は、ストックホルムを拠点に創作活動を展開している新世代のガラスアーティストです。作品は、クリエイティブで大胆、独特な雰囲気を持っています。ガラスの伝統や美術史上の流れを踏まえながらも、一方でポップ・カルチャーの要素を取り入れた作品は、見る人の心に直接届き、強い印象を残します。彼の今後の活躍に目が離せません。将来がますます楽しみなアーティストです。

私はラスムスのことを全く知らなかったのですが、たまたまストックホルムに滞在中に彼の個展が開催されていて、見に行きました。一目で、彼のポップでシュールな作品に心を奪われてしまいました。パッと見ると、ガラスとは思えないディテールがあって、ユーモアのセンスも抜群。衝動買いに近い形で手に入れたのは、「犬が宿題食べちゃった The Dog Ate the Homework」です。予想もしていない買い物だったので、財布もすっからかんになり、一緒にいた友だちに、「財布も犬に食べられちゃったわね」とからかわれてしまいました。

その後、グスタフスベリにある彼の工房を訪ねて、伝統的なガラス手法もしっかり学んだ上で自分のスタイルを追求していることが分かりました。

photo : Akiko Osaki

ラスムス・ノスブリングの作品

TOPIC 05

偶然の出会いの素晴らしさ

今までの人生の中で、その時はまだ知り得ないのだけど、何か未来に起こることに知らず知らずのうちに導かれていったと感じたことはありませんか？ 実現に向かってものが動き始めた時に初めてその計らいに気づくというような経験。振り返ってみると、「ああ、あれは不思議だった」と思うことは、誰にでも一つや二つはきっとあると思います。それが人との出会いのこともありますし、仕事上のチャンスの場合もあります。

私はありがたいことに、個人的にも仕事の面でも、才能があって面白い、会うと元気づけられる人たちに今までたくさん出会ってきました。日本でもそんな一人に出会いました。ミナ ペルホネンの皆川明さんです。何年か前に、あるセミナーでご一緒しました。話を聞いて、揺るぎないデザイン哲学、デザインのクオリティの高さ、サステナビリティを追求したものづくりにすっかり魅了されてしまいました。それ以来、彼の仕事に注目してきましたが、いよいよストックホルムでの展覧会を一緒に企画することになりました。このような展開にワクワクしています。

一見小さなことに見えるけど本当はとても大切なことを皆川さんは実践なさっていますよね。一度作った生地は決して捨てない。小さなハギレまで大切にしてハギレセットとして販売し、それで得た利益はメセナや大学へ行く奨学資金として提供すると聞いて、強く心に響きました。また、ミナ ペルホネンを代表するタンバリンのテキスタイルのほつれた模様を丁寧にミシンで繕う80歳を過ぎた現役のプロの姿も印象的でした。

そして、デザインとは、それを着る人、使う人とのコラボレーションであるとの視点、着る人の記憶が服を作っていくとの捉え方は素晴らしいと思います。

スイレン、フィンランドの南西

TOPIC 06

咄嗟に思いつくアイデア

どんなに周到に準備しても、物事が計画通りにならないこともたまにはあります。ある時、ヘルシンキ郊外にあるアルヴァ・アアルト自邸で、日本から大切なお客さまをお迎えして夕食会を開くことになりました。完璧な形でおもてなしをしたかったので、事前準備は滞りなく、メニューも席順もテーブルに飾るお花も決めてありました。アアルト自邸は、今では重要文化財として公開されていますが、特別に許可を得て稀に夕食会が開催されることもあるのです。

私もその夕食会に招かれた一員でしたが、アアルト邸で夕食会が出来るなど想像もしていなかったので、それだけでもう舞い上がってしまいました。

ヤッツィー、スサンナ家お気に入りのファミリーゲーム

ゲストが席に着き、夕食会が始まりましたが……なんということか、ワインの手配をすっかり忘れていたのです。さて、どうするかといった時に、とあることを思いつきました。アアルトが生きていた頃、パーティの最中にワインが足りなくなると、スタッフの誰かに指示して、歩いて10分ほどのスタジオからワインを持って来させることがよくあったのです。それで、私たちも同じことをしました。スタジオのキッチンに取りに行ったのです。少々遅れましたが、美味しいワインが無事に届いてみんなハッピー……。その後は、笑いの続く愉快な晩になりました。

いつワインが出てくるのかなと、招かれたゲストの一人として私も内心思っていたのですが、口に出す人は誰もいなくて、ワインが届いた時はみんなホッとしました。

この話は、その後、何人の人に面白おかしく話したことか。私のお気に入りのエピソードです。ヒヤヒヤした失敗談が後になってみんなに受ける笑い話になるのはよくあることですね。

この咄嗟の機転を働かせることは、実はいろんなイベント催事の時にも求められることです。どんなに周到に用意したと思っていても、手違いや抜けは必ず起きます。私もいろんなプロジェクトでそんな場面に直面しました。そんな時に、さてどうするのか？ どう切り抜けるのか？

考えてみると、私たちは日々の暮らしの中で、しょっちゅう、そのようなことに直面し、咄嗟の判断を下しながら生活しているのです。例えば、夕食の用意をしていて、あると思った食材が冷蔵庫の中になかった時、ほうれん草を使おうと思っていたら小松菜しかないというような時に、小松菜で間に合わす工夫をするなどです。日常的にこういう小さなやり繰りの体験をいっぱいしておくと、大変な時に慌てず、何かの対応策が必ずあると落ち着いていられるようになります。これは、小さなパーティから大きなイベントまで何を企画するにせよ、プロデューサーとしての基本能力の一つのような気がします。

TOPIC 07

身体を動かして士気を高める

小学校の時にダンスクラスに通っていました。バレエではなくフリースタイルのダンスです。それがきっかけで、アート表現としてのダンスにずっと興味を持っています。今は時々、今日の一日は特別に気合を入れていこうと思う日の朝は、歯磨きと朝食の間にお気に入りの曲をかけて踊りながら自分の士気を高めます。

コンテンポラリー・ダンスパフォーマンス、スウェーデン国立美術館

踊って自分のエネルギーを上げるのは最高ですね。私は小さい頃、日本舞踊を少しだけ習っていました。何年か前にヒップホップに挑戦してはみたのですが、長続きしませんでした。また、ダンスというと、女子校に行っていた時に、背が高かったので体育のダンスの時間にいつも男役にさせられ、それが大いに不満でした。そんな訳で、ちょっと苦手意識があります。

一流のコンテンポラリーダンス公演に行くのは大好きです。自分の身体を使って創造的な動きをして、照明や音楽に合わせて感情を表現するダンサーたちには敬服します。クラシックバレエを見るのも好きです。バレエの中には、何世代にもわたって人々を魅了し続けている演目も数多くあって、アートや文化は過去と今日、そして未来を繋ぐ役割を果たすことを実感させられます。

　先日、ノルウェーのオスロの新しくオープンしたオペラハウスで、アドルフ・アダン作曲の「ジゼル」を見ました。最初の公演は1841年のパリでしたが、瞬く間にヨーロッパ、アメリカで大人気になった演目です。筋書きは、村娘と身を隠した貴族の悲劇的でロマンチックな恋物語なので、どう展開していくのかは最初から推測がつくのですが、やはり感動と涙でした。

私の周りには、フラメンコやフラダンスを習っている人が何人かいます。ノリのよい音楽に合わせてみんなで踊るのも楽しいですよね。そういう輪の中にいるだけでも愉快です。身体を動かして喜びや怒りを表現すると、心が解放された気持ちにもなります。

TOPIC 08

楽器を演奏できる人に憧れる

何か楽器を習っていましたか？ 音楽を演奏する人や作曲する人は、色や記憶や感情を投入して、見えないけれど聞き取れる世界を創り出すのですから、すごいですね。オーケストラの演奏は、目の前で奇跡が起きているように感じる時があります。一人一人が自分の演奏を一生懸命に奏でながらも、同時に一体となって素晴らしい世界を創り出すのですから。

音楽に関する私の個人的な経験は、かなり一般的です。小さい頃ピアノを習いましたが、そんなに上手ではなく、7年か8年くらい続けましたが辞めてしまいました。自分にはピアノの才能は無く、他の分野で探した方がよいと思ったのです。最近、もう一回やってみてもよいかなと思ったりしますが、さあ、本当にするかどうかは自分でも分かりません。

次女がこのところトランペットに挑戦しています。今まで吹いたこともないのにいきなり始めたことに驚きですし、娘ながらすごいと思っています。

子供たちが小さかった頃、ピアノの先生に週一回来てもらって、近所の子供たちも参加しレッスンを受けていました。そして、1年に一回おさらいの会を開いていました。司会も進行も子供たちが担当した、ちょっとしたミニコンサート。懐かしい思い出です。

私自身は、小学校の高学年の時に合唱団には入っていました。ソプラノでした。中学生の頃には合奏コンクールに出場したことがあって、私はコントラバスを担当しました。曲はジョルジュ・ビゼーの「アルルの女」。いまだによく覚えていて、曲を聴くたびに自分のパートを思い出します。でも、あんまり楽器の才能はなかったですね。歌うことは今でも好きですし、もう一度習いたいとも思っています。

仕事としては、現代音楽のコンサートとセミナーの事務局を任されて7年間くらい続けました。世界中からミュージシャンを招聘して、運営をサポートする役目でした。それまでは、流れるようなメロディや情緒感溢れる音楽に親しんでいましたから、現代音楽は、聴きながら自分の内面との対話を迫られているようで、最初のうちは戸惑いましたが、だんだんその面白さが理解できるようになっていきました。今はすっかり魅了されています。

©Visit Finland / photo:Stefan Bremer

TOPIC 09

心を揺さぶられる建築

建築は、人の心に直接に響き、強い感情を惹き起こします。それゆえに、現代建築は批判の的にされることが多々あります。新しいランドマークとなる建物が出来ると、みんなそれぞれ一家言あって、なかなか評価が定まらないものです。スペインのビルバオのフランク・ゲーリーのグッゲンハイム美術館(1997)、オーストラリアのシドニーのヨーン・ウツソンによるオペラハウス(1957年着工、73年竣工)、ヘルシンキのアルヴァ・アアルトのフィンランディア・ホール(1971) など、これらの建物は完成した時には議論の嵐でしたが、年を経るにつれ、アイコニックな場所になっています。

個人的にも、建築には深く感情が揺さぶられますし、好きな建物は世界中にたくさんあります。私自身は美術史家ですが、父が建築家だったので、製図机の下で育ったと言っても言い過ぎではありません。父の鉛筆や紙を借りて使うことほど、小さい頃に興奮したことはありませんでした。

今まで訪れた建物の中でも、アメリカのペンシルヴァニアにあるフランク・ロイド・ライトの「落水荘」(1935)は、特に印象に残っています。深い山間に建てられ、水が丘を流れていくように設計され、その場に佇んでいるだけでも圧倒的な体験でした。近代建築が奢ることなく自然と出会っていることも強く心に残りました。

この間日本に行った時に、大山崎に藤井厚二が自邸として建てた聴竹居(1928) に行きました。一生忘れないと思うほどのインパクトがありました。深い思考のもとにデザインされ、平和と静寂に溢れ、細部が素晴らしいのです。この建物は多くの近代建築家に強い影響を与えたにちがいないとも思いました。

聴竹居に案内してもらったのは、ちょうどきれいに晴れた初秋の一日でしたから、余計に印象的でしたね。熱意を持って、建

物の管理維持をしている人たちの姿も感激でした。私は最初にかかわった展覧会が建築でしたから、それ以来、建築にはずっと魅力を感じています。

藤井厚二設計の「聴竹居」の庭

TOPIC 10

自分のスタイルを知る

私の仕事の場では美意識が大きな意味を持っています。それは、私にとっては幸いなことです。例えば、仕事の場で、何を着るか、どんなアクセサリーをつけるかは、二次的なことどころか、それこそとても大切なことなのです。私は、外に出るときは、公私の場にかかわらず服装に注意を払います。また、何を着るかはサステナブルなデザインを重視していることの表明でもあるので、母が60年代に着ていたマリメッコの服を何枚も受け継いで着ています。

お互いにおしゃれが好きですよね。というよりは、自分のスタイルを知っているといった方が良いのかもしれません。ここまで来るのに、流行に振り回されて失敗もしたり、調子に乗って高い買い物をしたりしましたが、今はすっかり落ち着きました。同じようなものをついつい買ってしまうことも無くなりました。そして、気に入った洋服は長く手元において、手直ししながら着ています。ジャケットやコートは、もう30年も着ているものが何枚もあります。

私のお気に入りは、スウェーデンとフィンランドと日本のデザイナーです。ミニマリスティックなデザインが好きです。ストックホルムにファミリーで店を構えるAspire by Chokeは、アジアと北欧のテイストを上手く取り合わせています。デザイナーのハンナ・サレンが率いるヘルシンキのéN Hatsでは、多様なシーンに対応した色とりどりの帽子のセレクションが見事です。風の日にどうやって帽子を上手く被っていられるのかを習得するのが私の今のところの課題ですが。イッセイ ミヤケは長い間愛用しています。着心地が良いだけでなく、どんなシーンでも映える力強い味方です。

アクセサリーもミニマリスティックです。私の持っているイヤリングや指輪は、ヘルシンキにあるOZ Jewelのものがほとんどです。デザ

イナーのティーナ・アルッコとヴィサ・ニルソンの店です。
基本の色は黒と青ですが、他の色も実験的に着てみることがあります。そして、外に出る時には、オレンジの口紅を必ずつけます。

私も黒を中心に、青、オレンジ、白を合わせて洋服を選びます。ズボンと靴は黒ばかりです。モノトーンが基本ですが、ストライプやドット、花柄などの柄物を組み合わせるのも好きです。自分のスタイルが決まっているので、コーディネートが簡単です。ハイヒールを履くのはもう随分前に辞めました。軽度の外反母趾でもあるので、幅のあるゆったり歩ける靴を選んでいます。

私は化粧することがあんまり得意ではないので、必要な時は近所の美容院に駆け込みます。しかし、眉を整え口紅はつけるようにしています。そして、自分のヘアスタイルがきちんとしていることがとても大切です。もう10年以上も同じ信頼できる美容師さんにお願いしていて、1ヶ月に一回カットに行き、3ヶ月に一度、メッシュに染めています。白、グレー、茶色、黒と、いろんな色がグラデーションになっていることが気に入っています。そして、着物にも洋服にも合うように、このところ、ずっとショートヘアです。

おしゃれよりも何よりも一番大切なことは、身を清潔に保つことですね。身を清潔にして履き心地の良い靴を履き、丁寧に手入れされた洋服を着て良い匂いをさせていること。これは自分のためだけでなく、周りの人のために大切なことだと思います。香水をつけることは随分前に辞めましたが、洋服ダンスの中には自分の好きな匂い袋を入れています。ハーブ系、特に、イタリアのフィレンツェの修道院に歴史を遡るというサンタ・マリア・ノヴェッラのハーブの香りが大好きです。

TOPIC 11

ものには記憶が宿る

日々の暮らしは、自らが選んだものに囲まれて成り立っています。家具やテキスタイル、食器、マグ、グラス、ナイフ、フォークなど、私たちは自分の家に相応しいものを知らず知らずのうちに選んで使っているのです。

ものは言葉を持ち、歴史を持っていると私は思っています。今、私が座ってこの文章を書いているアルヴァ・アアルトの椅子は、父が残したものです。向かいの棚には、祖母やアーティストの友人の絵が飾られています。そして、私の腕には、もう一人の祖母のゴールドブレスレットをつけています。

丁寧に使われたものには使った人の記憶が宿りますね。私も家族が残したものを大切にし、工夫して使いたいと思うタイプです。祖母や父や母が残した着物を仕立て直したり、母が使っていたお茶碗でお茶を飲んだり。そんなに高価なものでも古いものでもないのですが、父の使っていた時計もスチール机もそのまま使っています。

家族から引き継いだものだけでなく、スウェーデンのオークションハウス、ブコウスキーやオークションズヴェルケットといった、中古のオークション・セールを見るのも大好きです。素晴らしい中古の家具やランプを見つけていくつか買いました。古くて良いものを手に入れ、そこに今度は私が命を吹き込んで、やがて娘たちに手渡していきたいと夢見ています。

いいですね〜。うちの田舎の家には、東京の狭いアパートからはみ出したものを送ってしまうので、納戸がいっぱいになっているのですが、時間がある時に、それらを取り出して模様替えをする

のは私の大好きなことの一つです。父母のものだけでなく、子供たちが小さかった頃のものもあるので、思い出や記憶と対話をしながら組み合わせを考えていると、ついつい昔と今とがごっちゃになってしまいます。

人は、完璧にマッチすると思ったものを手に入れると、もうそれ以上のものを買う必要がないという心境になります。だから、ものを買う時は、品質とデザインをしっかり考えることが大切です。キーは、サステナブル。時間と共に価値が深まるものを選ぶことです。

ヴィンテージガラス瓶のコレクション

日本には「安物買いの銭失い」ということわざもありますが、フィンランドでよく使われる言葉は「タイムレス」ですね。子供が高校を卒業する時のお祝いにアルヴァ・アアルトの曲げ木の美しいアームチェア　パイミオを送ったというフィンランドの友人がいて、人生の大切なお祝いに、一生使えるものをあえてプレゼントするとは、なんと思慮深いことだろうと感心しました。

また、おばあさんから譲り受けたアラビアの陶器のセットを大切に使っている友人もいます。今も同じシリーズのものをフリーマーケットで見つけると少しずつ買い足しているそうです。

私は、北欧に出かけた時にフリーマーケットで見つけたものと、家にある昔からの和食器を組み合わせて使っています。北欧の食器と日本の食器の相性はとても良いと思います。母の時代には、食器をセットで揃えることが流行っていましたが、私は、お皿もお茶碗もバラバラの組み合わせが好きです。

TOPIC 12

大切な心と身体のケア

世界中で頭脳を研究している学者たちは、こぞって、心を刺激しなさいと言っています。新しい言語を学んだり、本を読んだり、森を走ったり、長い距離を歩いたりしなさいと。

手仕事も脳を刺激すると言われています。大人になってから、編み物が私の趣味になりました。編み物は瞑想に似ています。自分の心と指が合わさって、まるで千年以上も続いている儀式を今自分が執り行っているんだと感じる瞬間があります。紡がれていく途切れのない瞬間。

調べてみると、編み物の歴史はかなり長く、すでにエジプト時代に人は編み物を知っていたようです。ヨーロッパに紹介されたのが紀元前700年頃。最初の頃は、シルクやリネンなどの繊細な素材で贅沢な衣類が作られ、担ったのは男性でした。17世紀、18世紀になると、ウールが紹介されて編み物が一般的に広まっていきました。現在は、男女にかかわりなく、編み物は人気です。

私が編むのは、ソックス、手袋、ウールの帽子で、気持ちと愛情を込めてせっせと編みます。

私にもソックスを編んでくださって、ありがとうございます。寒くなると出張にも持っていって、愛用しています。ちなみに、何年か前にいただいたオレンジ色のウールのマフラーも私の冬支度には欠かせないアイテムです。

心だけでなく、身体のケアも大切ですね。身体は正直で、食べているものによって、違いがすぐに身体に現れます。私は和食が好きです。日本に行った時は毎日食べても飽きることはありません。自分が料理する時には新しいレシピに挑戦するのが好きです。今、興味があるのは、ヨタム・オットレンギの料理です。

今、イギリスで人気のイスラエル生まれのシェフですね。
ところで、スーパーには週に何回くらい行くのですか？

あんまり考えたこともないですが、一週間に3回くらいでしょうか。しかし、旅に出た時は、スーパーマーケットに行くと地元の文化がよく分かるので、時間があればよく立ち寄ります。

私も市場やスーパーマーケットに行くのが好きです。出張で地方に出かける時には、道の駅で地元の新鮮な野菜や食料品を買いたいと、場所を事前にチェックして出かけます。

身体のケアに関しては、今までは、アーユルヴェーダ、整体、オステオパシーなどのプロフェッショナルに頼るばかりで、毎日のレベルで自分で気をつけることをあんまりしていませんでした。アーユルヴェーダのトリートメントを受けている間は徹底して頑張るけど、残りの日は好き勝手に食べたいものを食べて、特に注意することなく過ごしていました。しかし、ある日、これではダメだと気がついたのです。そのきっかけは、肘と膝の周りの乾癬でした。何年も医者から塗り薬をもらっていたのですが、症状は一進一退、膝周りは特にひどくなってきて、短いスカートを履くこともできなくなりました。そこで、まず食べるものに注意を払い、オイルマッサージをして効果があるというお茶を飲んでいるうちに、少しずつ改善してきました。そして、これをきっかけに、日々の食事を見直すことにしました。

TOPIC 13

自分の時間を大切に

この間、次女と話している時に、「自分の考えを巡らせたり、画期的な行動を取るためには、自分の時間、“ミータイム”を持つことがいかに大切か分かった」と言うのを聞いて、母親としてすごく嬉しかったです。私も若い頃、娘と同じように気づいたことがあるからです。あまりにもぎゅうぎゅう詰めの一週間を過ごすと、喜びやワクワク感や新しいことを消化するエネルギーが失われていきます。だ

photo：Akiko Osaki

日本民藝館にて

から、自分のために時間を確保することは、本当に重要なことなのです。

自分のスケジュール表にその日にやることのリストを書き入れ、一日の終わりにどれだけこなしたかチェックすることにしています。もちろん、それはそれとして大事なことですが、何もしない一日、スケジュール表に空白のページをあえて持つことが必要だと最近とみに思います。一週間や月単位でなくて、一日の中でも、仕事の他に「ミータイム」を持ち、夜には十分な睡眠を取る。そうしないと、自分が擦り減っていく気がしてきますね。

朝から晩遅くまでやることをいっぱいにすることや効率的な人生を送ることが全てだと思っていたら、それは間違いです。本当に自分がしなければならないことから逃げていることでもあるのですから。

それはとても痛い指摘です。いつ頃から私たちは「忙しいこと」をプラスに考えるようになったんでしょうね。そして、「暇なこと」をマイナスに捉えてしまいがちなのでしょう。「忙しい人」イコール「成功している人」、「勝ち組の人」と思っているし、日々の会話の中でも、断りの理由に「忙しい」と言えば相手に納得してもらえたりしますよね。ですから、最近は、なるだけ、「忙しい」と口に出すことを止めて、「やりたいことがいっぱいある」など、別の言い方をするように心がけています。

TOPIC 14

一人で過ごす時間

ファミリーと一緒に過ごす時間は大好きです。夫や成人した娘たち、娘たちの友だち、親戚や古くからの友人との時間は私にとって宝です。大勢の人が集まった時に、ご飯を作るのもとても楽しいことです。美味しいご飯作りは、まるで詩を書くことに似ていると思っていますから。

私もファミリーや友だちのためにご飯を作るのは大好きです。そのために、大きな鍋や大皿を集めています。この間も、15人ほどの集まりのために夕食を用意しました。ざっとメニューを考えて、買い出しに行き、その日のスーパーの棚に並ぶ新鮮な物を中心に、多少のバリエーションを考えながら食材を選びます。時々、サービス精神が溢れすぎて買い過ぎたりもしますが、みんなが美味しいと言ってくれることを想像しながら、野菜を刻んだり肉や魚の仕込みをしている時間は珠玉の時です。

子供たちが小さかった頃は、弟や妹の家族とみんなで総勢20人くらいのクリスマス・パーティを毎年開いていました。必ず何かしらのハプニングも起こり、いつも大騒ぎでした。みんな大人になった今、なかなか全員で集まることは出来ませんが、その時のとびきり愉快で満たされた時間のことは、一人一人の心の中にしっかり残っているようです。このような時間を共有することこそ、ファミリーを結びつけていくものだと思います。

その一方で、一人で過ごす時間も好きです。まず、ストックホルムでの仕事が決まった時、家族みんなで話し合って、私が単身赴任することになりました。平日は一人で仕事に専念し、週末には家族と一緒に過ごすことにしたのです。そして、それが上手くいっています。最初のうちは、ストックホルムで誰もいない家に帰ること

に慣れるまで時間がかかりましたが、今は、編み物をしたり、本を読んだり、ヨガをしたりして夜を過ごしています。静寂に耳を傾けるのもなかなか味わいがあります。

私も一人で暮らし始めてから随分経ちますが、自分がこれほど一人遊びが好きだとは思ってもみませんでした。読書、映画鑑賞、時々編み物や繕い物、草花の手入れ、部屋の模様替え、妄想を巡らすことなどなど、一人でいて退屈することはありません。したいことが次から次へと出てきます。ファミリーや友だちとワイワイ言いながら過ごす時間と一人でいる時間のバランスが取れていることがとても大切ですね。

photo: Akiko Osaki

スサンナの手編みソックス

TOPIC 15

草花を育てる面白さ

草花を育てることは日々の楽しみです。子供の頃、祖母が家の中で、鉢植えのオレンジやレモンの木を育てるのを見て育ちましたから、いつか私もそうしたいと思っていました。それで、ティーンエージャーの時にタネから育ててみようとトライしたことがあります。しかし、小さな虫に葉っぱを食べられてしまい、見事に失敗。丸裸になったやせ細った木の写真を記念に撮って、鉢ごと捨ててしまいました。最近はアボカドをタネから育てていますが、今のところ元気に育っています。

アボカドといえば、私が大好きな野菜の一つでよく食べます。昔、カリフォルニアに住んでいた頃、左右に楊枝を刺したアボカドのタネをコップに入れて水中栽培で育てたことがありますが、何年か前に、食べた後のタネがあまりにも見事だったので、捨てないでベランダのポットの中にポイと捨てておいたところ、不思議や不思議、しばらくして葉っぱが出てきたのです。それも一本だけでなく、次から次へと生えてきました。今は15本くらい、まるでちょっとしたミニ・アボカドの森。うちのベランダは、アボカドの産地のメキシコやグアテマラと続いているのではないかと思うほどです。昨日も、新しい芽が出ているのを見つけました。観葉植物としても最高です。

ストックホルムで、一緒にプリンス・エウシェン・ヴァルデマシュッデ美術館に行きましたね。元々は、ロイヤルファミリーの一員だったプリンス・エウシェン(1865-1947)の功績と画家としての作品のために建てられた建物ですが、今は水辺に広がる庭園、植物園の見事さでも知られている美術館です。専属の庭師たちが十分な手入れをしているので、行くたびに花の美しさにうっとりしてしまいます。ストックホルムの中でも訪れるのに美しい場所の一つです。

ベランダですくすく
育つアボカド

photo: Akiko Osaki

何年か前に、ジャポニスムが北欧に与えた影響を取り上げた展覧会「Silent Beauty」が開催されましたね。その時に私も初めて行って魅了された場所です。

庭の手入れをしていると、時間が経つのをすっかり忘れてしまいます。フィンランドの庭には夏のベリー、秋のキノコの楽しみもあります。

仕事柄、出張が多いのですが、留守中に気になるのがベランダの植物の水やりです。留守が長い時は水やりを頼んでいきますが、出張から戻ると、まず、ベランダに直行して草木の様子を見にいきます。

田舎の庭も気になります。庭師さんにお願いして、定期的に見てもらっていますが、どうも元気のない木が何本かあるのです。土の中で十分に根を張ることを何かの理由で阻止されているんじゃないのかという気がしています。土と水と風の動き、根元の雑草も幹についている苔も、見事に巣をかける蜘蛛も、ひょっとしてみんな連動しているのではないかと思えてきて、今、とても知りたいことの一つです。

TOPIC 16

ちょっとしたお土産の効用

北欧の国でプレゼント交換をするのは、クリスマスや誕生日くらいです。でも、誰かのお宅にお招きを受けた時に花束とかワイン、チョコレートなど、招いてくれた人が喜びそうなちょっとしたものを手土産に持っていきます。小さな子供がいる家だと、子供にも何かを持っていきますが、それはしてもしなくても良い程度です。しかし、日本では、友だちであろうと、仕事上で会う人であろうと、誰かと会う時に、みんなちょっとしたお土産を持っていきますね。それは素敵なエチケットだと思います。そして、それを教えてくれたヒロコに感謝です。

photo : Akiko Osaki

ウラ・プロコッペのデザイン「ルスカ」のピッチャーと花

手土産を用意するのは、日本の習慣ですね。私も海外に出張に行く度にお会いする方々みなさんそれぞれにちょっとしたものをいつも用意しています。でも、慌てて買うのが嫌なので、日々の生活の中で、これは面白いと思ったり、きっと喜ばれると思うものを見つけておくようにしています。特別なものでも何でもなく、意外に、コンビニで売っているスナック菓子とかドラッグストアで見つけた手頃な値段のコスメとかが喜ばれます。

私も、日本に出張する時にはお土産リストを作って用意することが習慣になりました。

スサンナは、お土産を渡す時に、ただ渡すだけでなく、いつもちょっとした説明を添えますね。プレゼントするものの説明とか、なぜそれをプレゼントしたいのかとか、どういう風に使って欲しいとか……お土産を手に持って、相手の目を見て、心を込めて伝えますよね。その姿を見る度に、スサンナの優しい心遣いが分かって、本当に素敵だと思います。また、もらった相手も、嬉しそうです。

お土産ではないのですが、家族や友人の中で、何か特定のものを集めていたり好きだったりするものを知っていると、どこかでその人が喜びそうなものを見つけると、必ず買っておくようにしています。私の周りには、ウサギ、キツネ、ネコ、紫色が大好きな人や小さな可愛らしいもの好きがいます。買っておいたものは、誕生日など特別な時にプレゼントします。決して高価なものではないのですが、相手のことを大切に思っているという気持ちが伝わるような気がするのです。

TOPIC 17

ゆっくりお茶を点てる豊かさ

朝はまず緑茶を飲みます。コーヒーは一日に平均2杯。午前中にオフィスで仕事を始める時とランチの後か午後の仕事の合間に飲みます。職場でコーヒーカップを片手にみんなで集まってコーヒータイムを楽しんでいたのは昔のこと。その頃はもっとゆったりとした時間があったように思いますが、今は、コーヒーといえば会議。コーヒーカップをそれぞれが持ちながら集まってきます。

一日のうちに、コーヒーでもお茶でも、ゆっくりと味わいながら飲む時間を意識して作ろうとしています。自分のために、あるいは誰かのために、心を込めてお茶を点てることは実に豊かなことだと思います。私の母はいつも美味しいお茶を点ててくれました。お茶を選びお茶碗を決め、お茶を入れる温度を調整して、焦ることなくゆっくりと、お客さまだけでなく、家族のためにもお茶を点ててくれました。急須にお湯を入れて美味しいお茶が出来るのを待つ時間の流れも好きでした。特別な日にはお煎茶でなくお抹茶でした。

私は少しの間お茶を習っていましたが、出張が続いてお稽古に通えなくなり、そのままになってしまいました。しかし、一杯のお茶をいただくための作法を学ぶお稽古のことをよく思い出します。季節の中で一番美味しいお茶を相手に差し出す心遣いや所作。習い事であることを超えた何かを教えてもらいました。マリメッコ・スピリッツ展にかかわった時に、マリメッコ茶会を開きました。マリメッコのテキスタイルを張り巡らせた茶室で、お茶碗はマリメッコのボウル、お菓子はウニッコ形の特別注文。私は着物の帯も古帛紗もマリメッコの布で作り、ユニークで楽しいお茶会となりました。

photo: Shouma Kohsai

photo: Shouma Kohsai

「Marimekko Spirit − Elämäntapa マリメッコの暮らしぶり一」展(2017年)、ギャラリーエークワッド

©Visit Finland

著者

スサンナ ペッテルソン（博士）
SUSANNA PETTERSSON

美術史家。スウェーデン国立美術館館長。ユヴァスキュラ大学（フィンランド）非常勤講師、美術館に関する国際的なレベルの数々の専門調査委員会に属し、ノーベルセンター財団などの評議員も務める。ジェニー&アンッティ・ウィフーリ財団名誉賞受賞。著作多。

迫村 裕子
HIROKO SAKOMURA

文化プロデューサー、国際的な美術展や文化プロジェクトの企画運営に携わる。主にフィンランドやスウェーデンなど北欧に特化。「みんなちがってみんないい」をモットーに教壇にも立つ。S2株式会社代表。絵本や翻訳書の著作もあり。

ノニーン！
幸せ気分はフィンランド流

2023年1月31日　初版第1刷発行

発行人　西田 宏
編集人　嘉藤 久恵
発行所　カルチュア・エンタテインメント株式会社
ネコ・パブリッシング カンパニー
https://www.neko.co.jp/

〒141-8201
東京都品川区上大崎3-1-1
目黒セントラルスクエア
TEL 03-5745-7809（編集）
049-257-4731（コールセンター）

ご注文に関するお問い合わせは、
コールセンターへ
TEL 049-257-4731

印刷・製本所　中央精版印刷株式会社

本誌掲載の記事・写真、
イラストの無断転載を禁じます。

ISBN978-4-7770-5488-6
©NEKO PUBLISHING
©Susanna Pettersson,©Hiroko Sakomura
2023 Printed in Japan

編集　嘉藤 久恵
装丁・デザイン　伊藤 泰久（ink in inc LLC.）
イラスト
（カバー・挿し絵）　ティナ バックマン
（ポートレート）　ティモ マンッタリ
撮影　大崎 晶子
スサンナ ペッテルソン
撮影協力　日本民藝館